la mejor cocina

cocina india

Copyright © 2006 de la edición española
Parragon Books Ltd
Queen Street House
4 Queen Street
Bath BA1 1HE, Reino Unido

Traducción del inglés: Chúss Fernández Vélez para LocTeam, S. L., Barcelona
Redacción y maquetación: LocTeam, S. L., Barcelona

ISBN-10: 1-40547-933-7
ISBN-13: 978-1-40547-933-2

Impreso en China
Printed in China

NOTA

Todas las cucharadas utilizadas como unidad son rasas: una cucharadita
equivale a 5 ml y una cucharada a 15 ml. Si no se indica lo contrario,
la leche que se utiliza en las recetas es entera, los huevos y las hortalizas,
como por ejemplo las patatas, son de tamaño mediano, y la pimienta
es negra y recién molida.

Los tiempos de preparación y cocción de las recetas son aproximados, ya que
pueden variar en función de las técnicas empleadas por cada persona y según
el tipo de horno o fogón utilizados.

Las recetas que incluyen huevos crudos o poco hechos no son recomendables
para niños, ancianos, embarazadas, personas convalecientes o enfermas.
Se aconseja a las mujeres embarazadas o lactantes no consumir cacahuetes
ni derivados.

Contenido

Introducción

La cocina india es una de las más ricas y versátiles del mundo, tanto en número de técnicas culinarias como en variedad de ingredientes y sabores, algo que no debería sorprender, dada la vasta amplitud de su territorio y su larga y compleja historia. La tradición de la comida india está, así, inspirada en factores geográficos e históricos, pero también profundamente influenciada por la religión, tres aspectos que van muy unidos.

Cada región de la India posee platos y especialidades característicos. Como Mumbai, antes Bombay, famosa por sus currys de cerdo; o la cocina bengalí, conocida en todo el mundo por la forma de preparar el pescado, o Madras, que destaca por su formidable comida vegetariana. Pero en términos culinarios, el país se divide en dos: norte y sur. En el norte, los platos son producto de las invasiones que ha sufrido la zona siglo tras siglo, mientras que en el sur apenas se aprecian rasgos de fuera. Los mogules legaron platos cremosos y apetitosos, elegantemente preparados; los persas trajeron pilafs y otras formas de preparar el arroz, y los portugueses introdujeron el vinagre, ingrediente estrella de los currys vindaloo. Exploradores lusos y españoles fueron quienes trajeron a Asia la guindilla de los nativos de Suramérica.

Al parecer, sólo los británicos no legaron nada a la cocina del país, pero, profundamente enamorados de sus condimentos y chutneys, fueron los que con más afán difundieron su deliciosa cocina por todo el mundo.

El sur es rico en frutas y verduras, que, junto a las lentejas y el arroz, ocupan un lugar esencial en la alimentación de esta zona; mientras que el norte, región triguera por excelencia, se caracteriza por la interesante variedad de panes. La religión predominante en el sur es el hinduismo, lo que explica que la mayoría de la población sea vegetariana. Más al norte también hay muchos hindúes, pero no es tan estricto el cumplimiento de la dieta vegetariana. De todas formas, la carne, sobre todo el cordero y el pollo, está presente en muchos platos tradicionales. La gran excepción es la carne de vacuno, pues la vaca es para los hindúes un animal sagrado. En la costa, se alimentan también de pescado. Los musulmanes comen todas las carnes menos el cerdo y sus derivados, porque creen que es un animal impuro. Pero hay más grupos religiosos repartidos por el país: cristianos de la antigua colonia lusa de Goa, judíos de Oriente Medio, parsis, cada uno con sus propias pautas de alimentación.

Técnicas culinarias y utensilios de cocina

Una de las mayores ventajas de la cocina india es que no hay que dedicar mucho tiempo a su preparación. Además, no requiere utensilios de cocina especiales. La mayoría de las cocinas occidentales tiene casi todo lo necesario para preparar las recetas que proponemos en este libro.

Saber mezclar bien las especias es un aspecto básico de la cocina india. Los indios muelen las especias frescas usando un rodillo y una piedra plana llamados *sil* y *batta*, a veces una piedra pesada, y otras un *hamaldista*, o mortero de hierro fundido. Aunque es posible adquirir estos utensilios en tiendas especializadas, lo más práctico es emplear un mortero corriente o un molinillo de especias.

Para cocinar comida india, es imprescindible tener una sartén pequeña de mango largo y fondo pesado, pero si le apasionan los platos balti, lo mejor es invertir en un *karahi* o *balti*, que es una cacerola parecida al wok de fondo redondo y con dos asas. Los indios suelen usar también *tavas* o *tawas*, unas planchas en las que tuestan las especias y cocinan los chapatis y otros panes planos, pero la verdad es que no hace falta comprar nada si se dispone de una sartén adecuada.

Hay otros utensilios típicamente indios, como el rallador de coco *narial kas* y un colador llamado *chalni*, pero si bien es cierto que resulta más fascinante emplear objetos genuinos, un rallador y un colador normal cumplen la misma función.

El único utensilio para el que no hay equivalente en Occidente es el horno *tandoor*, muy popular en ciertas áreas del norte de la India. En este libro se incluyen platos tandoori, pero adaptados para prepararlos en un horno de los que se encuentran habitualmente en el mundo occidental.

Ingredientes especiales
Asafétida

Especia de regusto amargo que pierde su característico olor fétido al cocinarla y añade fragancia a los platos. Lo mejor es comprarla molida y guardarla en un recipiente hermético.

Besan

Esta harina de garbanzos da fragancia, espesa los currys y sirve para elaborar pakoras y bhajias.

Chana dal

Lenteja amarilla partida de regusto algo dulce, típica de muchos platos de verduras. A veces se usa como aglutinante.

Fenogreco

Hierba fresca típica de muchos platos de verduras y algunos de

carne. Los tallos se desechan porque despiden un sabor amargo desagradable, y se usan sólo las hojas. Sus semillas son las que dan a las mezclas de curry esa fragancia penetrante que las caracteriza.

Ghee
Esta mantequilla clarificada es la grasa de cocina tradicional de la India. Hoy día, se ha sustituido por ghee vegetal, casi siempre aceite de maíz, por su contenido más bajo en grasas saturadas.

Harina de ata
También llamada harina de chapati, es una harina de trigo integral muy usada en numerosas variedades de pan. A falta de ésta, se puede usar harina de trigo integral bien tamizada.

Kalonji
También llamada *nigella*, son unas diminutas semillas negras de sabor parecido a la pimienta que se usan, sobre todo, en platos de verduras.

Masoor dal
Lentejas rojas partidas de gran tradición en la cocina india. Son fáciles de encontrar en las tiendas. De color anaranjado, se vuelven más pálidas al cocinarlas.

Moong dal
Lenteja amarilla partida parecida al chana dal, pero más pequeña.

Panch phoran
Mezcla india de cinco especias: semillas de comino, semillas de cebolla, semillas de mostaza, semillas de fenogreco y anís.

Paneer
Queso blanco, suave y de delicado sabor, consumido en la India por vegetarianos y omnívoros, aunque suele acompañar más a las carnes. Puede sustituirlo por queso ricota.

Tamarindo
De sabor amargo y aroma intenso, es la parte seca, pegajosa y de color pardo oscuro de la planta del tamarindo. Para consumirla, primero hay que remojarla en agua caliente y escurrirla bien. Lo mejor es el concentrado de tamarindo, que se compra en recipientes de cristal en tiendas de comida asiática, pero si no lo hay, utilice zumo de limón.

Toor dal
Lenteja partida parecida al chana dal.

Urid dal
Esta lenteja puede adquirirse con vaina, que es negra, por lo que a veces se la llama garbanzo negro, o sin vaina, siendo entonces de un tono blanco lechoso. Requiere cierto tiempo de cocción.

Recetas básicas

pasta de curry

4 cdas. de semillas de cilantro

2 cdas. de semillas de comino

1 cda. de semillas de fenogreco

1 cda. de semillas de hinojo

2 hojas de curry

2 guindillas rojas secas

2 cdtas. de cúrcuma molida

2 cdtas. de guindilla en polvo

5 cdas. de vinagre de vino blanco

2 cdas. de agua

125 ml de aceite vegetal, y un poco

    más para calentar

1 Muela el cilantro, el comino, el fenogreco y el hinojo con las hojas de curry y las guindillas rojas en un molinillo de especias o un mortero.

Páselo todo a un cuenco, añada la guindilla en polvo, la cúrcuma, el vinagre y el agua, y remueva bien hasta obtener una mezcla homogénea.

2 Caliente el aceite vegetal en una sartén grande de fondo pesado, agregue la mezcla anterior y deje cocer a fuego lento, sin dejar de remover, unos 10 minutos, o hasta que se consuma el agua y asome el aceite.

3 Deje enfriar y pase la mezcla a un bote de cristal con tapa. Para conservar, caliente algo más de aceite en una sartén y viértalo sobre la mezcla. Guarde en el frigorífico hasta 1 mes.

pasta de ajo

115 g de dientes de ajo cortados

    por la mitad

125 ml de agua

1 Ponga el ajo con el agua en un robot de cocina y triture hasta obtener una mezcla homogénea. Páselo a un bote de cristal con tapa y guarde en el frigorífico hasta 1 mes.

pasta de jengibre

115 g de jengibre fresco troceado

125 ml de agua

1 Ponga el jengibre y el agua en un robot de cocina y triture hasta obtener una mezcla homogénea. Páselo a un bote de cristal con tapa y guarde en el frigorífico hasta 1 mes.

garam masala

1 rama de canela

8 guindillas rojas secas

5 cdas. de semillas de cilantro

2 cdas. de semillas de comino

2 cdtas. de semillas de

    cardamomo

1 cdta. de semillas de hinojo

1 cdta. de semillas de mostaza negra

2 cdtas. de granos de pimienta

    negra

1 cdta. de clavos de especia

1 Tueste la rama de canela y las guindillas en una sartén de fondo pesado y remueva a fuego lento 2 minutos. Añada el cilantro, el comino, el cardamomo, el hinojo, la mostaza, la pimienta y los clavos, y tuéstelo todo sin dejar de remover y de mover la sartén durante 8 minutos, o hasta que desprendan su aroma.

2 Retire del fuego y deje enfriar. Páselo todo a un molinillo y triture hasta que quede bien molido. Conserve la mezcla en el frigorífico en un bote cerrado 3 meses como máximo.

Sopas

Las sopas de este capítulo pueden servirse
como delicioso y nutritivo aperitivo en el almuer-
zo, quizás acompañadas de algún tipo de pan

indio como el pan naan (pág. 177), o como entrante creativo en una cena. Las

hay de sabor muy especiado y picante, como la Sopa de espinacas (pág. 10), y

más suaves y delicadas, como la Sopa de marisco (pág. 12). Todas son muy

fáciles de preparar y la mayoría puede elaborarse con antelación siempre que

las calentemos bien antes de servirlas.

sopa de espinacas

para 6 personas

2 cdtas. de semillas de cilantro

2 cdtas. de semillas de comino

1 cda. de ghee o aceite vegetal

2 cebollas picadas

1 cda. de pasta de jengibre (pág. 7)

2 cdtas. de pasta de ajo (pág. 7)

6 hojas de curry troceadas

2 guindillas rojas secas majadas

2 cdtas. de granos de mostaza
    negra

½ cdta. de semillas de fenogreco

1 cdta. de cúrcuma molida

250 g de masoor dal

2 patatas cortadas en dados

1,25 l de caldo de verduras

1 kg de espinacas frescas, limpias,
    y un poco más para decorar

2 cdas. de zumo de limón

300 ml de leche de coco

sal y pimienta

CONSEJO

Esta sopa puede prepararse
el día anterior y guardarla, una
vez fría, en el frigorífico hasta el
momento de servir. Asegúrese de
servirla siempre bien caliente.

1 Caliente una sartén de fondo
pesado y tueste el cilantro y el
comino, sin dejar de remover, hasta
que desprendan su aroma. Muela la
mezcla en un mortero o, si lo prefiere,
un molinillo de especias o licuadora.

2 Caliente el ghee en una cacerola
grande. Añada las cebollas, la
pasta de jengibre, la pasta de ajo,
el curry, las guindillas, la mostaza
y el fenogreco, y sofría a fuego lento
8 minutos sin parar de remover o hasta
que las cebollas estén tiernas y doradas. Agregue las especias molidas
y la cúrcuma, y sofría 1 minuto más.
Añada el masoor dal, las patatas y el
caldo, lleve la mezcla a ebullición, baje
el fuego y hierva unos 15 minutos o
hasta que las patatas estén tiernas.
Incorpore las espinacas y cueza otros
2 o 3 minutos o hasta que queden
lacias.

3 Retire la cacerola del fuego y
deje enfriar un poco. Pase la
sopa a un robot de cocina o licuadora, triture hasta obtener una mezcla
homogénea y viértala en la cacerola
para añadir el zumo de limón y la
leche de coco. Salpimiente al gusto
y vuelva a calentarla a fuego lento,
removiendo de vez en cuando y procurando que no hierva. Sirva la sopa
inmediatamente en cuencos calientes
y coloque unas hojas de espinaca
fresca para decorar.

sopa de marisco

para 4 personas

250 ml de caldo de verduras

2 zanahorias cortadas en dados

3 dientes de ajo bien majados

3 cdas. de cilantro picado, y un
    poco más para decorar

1 cdta. de semillas de comino

1 cdta. de granos de pimienta negra

1 trozo de jengibre fresco de 1 cm
    bien picado

1 cda. de ghee o aceite vegetal

1 cebolla picada

1 guindilla verde fresca sin pepitas
    y majada

1 patata cortada en dados

2 cdtas. de cilantro molido

200 g de gambas cocidas, peladas
    y sin el hilo intestinal

70 g de yogur natural

150 ml de leche

3 cdas. de vino blanco seco

8 vieiras sin valva

sal y pimienta

VARIANTE

En vez de vieiras, puede usar 16
mejillones frescos, cocidos y sin
las valvas, u 8 ostras sin valvas.

---

1 Ponga el caldo en un cazo y añada las zanahorias, 2 dientes de ajo, el cilantro, el comino, la pimienta y el jengibre. Lleve todo a ebullición y deje hervir 20 minutos tapado. Cuele el caldo a un vaso medidor y, si es necesario, añada agua hasta la marca de 750 ml.

2 Caliente el ghee en un cazo aparte, añada la cebolla, la guindilla y el resto del ajo, y sofría 5 minutos. Agregue la patata y el cilantro y rehogue otros 2 minutos. Añada el caldo y llévelo a ebullición, tape y deje a fuego lento 5 minutos o hasta que la patata esté tierna.

3 Aparte el cazo del fuego y deje enfriar un poco. Vierta la sopa en un robot de cocina, añada la mitad de las gambas y triture hasta obtener una mezcla homogénea. Pásela de nuevo al cazo y agregue el resto de las gambas, el yogur y la leche. Vuelva a calentar a fuego lento, añada el vino blanco y las vieiras, y salpimiente al gusto. Deje hervir unos 2 o 3 minutos o hasta que las vieiras estén en su punto. Sirva la sopa en cuencos calientes y decore con cilantro picado.

sopa de lentejas

para 4 personas

1 l de agua

220 g de toor dal o chana dal

1 cdta. de pimentón

½ cdta. de guindilla en polvo

½ cdta. de cúrcuma molida

2 cdas. de ghee o aceite vegetal

1 guindilla verde fresca sin pepitas
y bien majada

1 cdta. de semillas de comino

3 hojas de curry troceadas

1 cdta. de azúcar

sal

1 cdta. de garam masala (pág. 7),
para decorar

VARIANTE

Para enriquecer el sabor, cueza
el dal en caldo de verduras en
vez de en agua.

1 Lleve el agua a ebullición en un cazo de fondo pesado. Añada las lentejas, tape y deje hervir 25 minutos removiendo de vez en cuando.

2 Añada el pimentón, la guindilla y la cúrcuma, vuelva a tapar el cazo y cueza 10 minutos más, o hasta que las lentejas estén tiernas.

3 Mientras, caliente el ghee en una sartén pequeña. Añada la guindilla, el comino y las hojas de curry, y fríalo todo durante 1 minuto sin dejar de remover.

4 Agregue la mezcla de especias al cazo con las lentejas, añada el azúcar y sazone con sal al gusto. Vierta la sopa en cuencos calientes, decore con garam masala por encima y sirva inmediatamente.

sopa de coliflor

para 6 personas

1 cda. de ghee o aceite vegetal

1 coliflor pequeña en ramilletes

2 patatas cortadas en dados

3 cdas. de agua

1 cdta. de pasta de ajo (pág. 7)

1 cda. de pasta de jengibre (pág. 7)

2 cdtas. de cúrcuma molida

1 cdta. de granos de mostaza
negra

1 cdta. de semillas de comino

1 cda. de semillas de cilantro
ligeramente machacadas

1 l de caldo de verduras

sal y pimienta

300 g de yogur natural

1 Caliente el ghee en un cazo grande de fondo pesado. Añada la coliflor, las patatas y el agua, y lleve a ebullición. Baje el fuego y déjelas hervir 10 minutos con la tapa puesta.

2 Agregue la pasta de ajo y de jengibre, la cúrcuma, la mostaza, el comino y el cilantro majado, y cueza todo 3 minutos sin dejar de remover. Añada el caldo y salpimiente. Vuelva a llevar la sopa a ebullición y deje hervir otros 20 minutos con la tapa puesta.

3 Retire la sopa del fuego y déjela enfriar un poco. Viértala en un robot de cocina o licuadora y triture hasta obtener una mezcla homogénea. Devuélvala al cazo y agregue el yogur. Ponga la sopa al fuego hasta que esté bien caliente, pruébela por si necesitara más sazón y sirva inmediatamente.

VARIANTE

Para enriquecer el sabor y el color, puede sustituir la cúrcuma molida por 1/2 cucharadita de hebras de azafrán.

sopa de tomate picante

para 6 personas

2 cdas. de ghee o aceite vegetal

2 guindillas secas rojas

4 hojas de curry troceadas

1 cdta. de pasta de ajo (pág. 7)

1 cdta. de semillas de comino

½ cdta. de cúrcuma molida

½ cdta. de granos de mostaza

1 pizca de asafétida

sal y pimienta

350 ml de zumo de tomate

6 cdas. de zumo de limón

150 ml de agua

cilantro picado, para decorar

VARIANTE

Cueza a fuego lento 900 g de pollo cortado en dados en 625 ml de agua hasta que esté tierno. Siga la receta y añada el pollo en el último momento.

---

1 Caliente el ghee en un cazo grande de fondo pesado. Agregue las guindillas, las hojas de curry, la pasta de ajo, el comino, la cúrcuma, la mostaza, la asafétida y ½ cucharadita de pimienta. Rehogue a fuego medio entre 5 y 8 minutos sin parar de remover, o hasta que las guindillas se chamusquen.

2 Añada el zumo de tomate, el zumo de limón y el agua, y sazone con sal al gusto. Lleve la sopa a ebullición, baje el fuego y hierva 10 minutos.

3 Retire las guindillas, pruebe la sopa y corrija la sazón, si es necesario. Vierta la sopa en cuencos calientes, decore con cilantro por encima y sirva inmediatamente.

Carnes y aves

De los kebabs a los currys, del pollo al cordero, las opciones son interminables: guisos de sabor intenso, fritos rápidos, coloridos platos tandoori y suculentos asados. Tanto si su intención es preparar un plato sencillo pero apetitoso para una cena diaria con la familia o sorprender a invitados especiales con una comida, aquí encontrará la receta que estaba buscando.

El cordero es sin duda la carne favorita de la India, por lo que en este capítulo no podían faltar recetas clásicas como el Rogan Josh (pág. 32) o el Kofta de cordero (pág. 20). El cerdo y la carne de vacuno también tienen aquí un lugar destacado.

El pollo es el acompañante perfecto de sutiles mezclas de especias, servido al estilo del sur de la India con una combinación de leche de coco, zumo de lima y cilantro. Una de las recetas estrella es el Dhansak de pollo (pág. 68).

kofta de cordero

para 4 personas

450 g de carne picada de cordero

1 cebolla pequeña bien picada

1 cdta. de comino molido

1 cdta. de cilantro molido

1 cdta. de guindilla en polvo

1 cdta. de garam masala (pág. 7)

1 cdta. de pasta de ajo (pág. 7)

2 cdas. de cilantro picado

sal

190 ml de aceite vegetal

6 cebolletas picadas

1 pimiento verde, sin pepitas y picado

250 g de habas frescas
   o descongeladas

12 mazorquitas de maíz

1 coliflor pequeña cortada
   en ramilletes

3 guindillas verdes frescas,
   sin pepitas y picadas

1 cda. de zumo de lima

1 cda. de hierbabuena fresca

VARIANTE

Puede usar cualquier verdura que tenga a mano, como por ejemplo pimiento rojo, brécol, judías verdes picadas o tirabeques.

1 Ponga en un cuenco la carne de cordero, la cebolla, el comino, el cilantro molido, la guindilla, el garam masala, la pasta de ajo y la mitad del cilantro, y mezcle todo bien con las manos. Sazone con sal, tape y deje enfriar en el frigorífico unos minutos.

2 Caliente 3 cucharadas de aceite en una sartén grande o un wok. Añada las cebolletas y fríalas, removiendo a menudo, durante 1 minuto. Agregue el pimiento verde, las habas, el maíz, la coliflor y las guindillas, y mantenga a fuego vivo, sin dejar de remover, 3 minutos o hasta que todo esté tierno y crujiente. Reserve.

3 Caliente el resto del aceite en un wok o sartén aparte. Mientras, con las palmas de las manos, amase pequeñas albóndigas (koftas) con la carne y póngalas, por tandas, en el aceite caliente. Fríalas y deles varias veces la vuelta hasta que estén bien doradas. Sáquelas con una espumadera y déjelas escurrir sobre papel de cocina. Cuando las haya hecho todas, ponga de nuevo las verduras al fuego e incorpore las koftas. Guise todo a fuego lento, sin dejar de remover, 5 minutos o hasta que esté bien caliente. Rocíe por encima el zumo de lima y sirva decorado con cilantro y hierbabuena.

NOTA

La carne debe estar muy picada para que las koftas salgan bien. Tritúrela con un robot de cocina 1 minuto antes de mezclarla con los demás ingredientes.

cordero en salsa muy picante

para 6-8 personas

175 ml de aceite vegetal

1 kg de pierna de cordero magra
   cortada en trozos grandes

1 cda. de garam masala (pág. 7)

5 cebollas picadas

150 g de yogur

2 cdas. de tomate concentrado

2 cdtas. de jengibre fresco bien
   picado

2 dientes de ajo majados

1½ cdta. de sal

2 cdtas. de guindilla en polvo

1 cda. de cilantro molido

2 cdtas. de nuez moscada molida

900 ml de agua

1 cda. de semillas de hinojo molidas

1 cda. de pimentón

1 cda. de besan

3 hojas de laurel

1 cda. de harina

2 cdas. de agua templada

2-3 guindillas verdes frescas picadas

cilantro picado, y un poco más
   para decorar

láminas de jengibre fresco,
   para decorar

1 Caliente el aceite en una sartén. Añada la carne y la mitad del garam masala, y saltee todo entre 7 y 10 minutos o hasta que la carne se impregne bien. Sáquela con una espumadera y resérvela.

2 Ponga la cebolla en la sartén y fríala hasta que esté dorada. Vuelva a poner la carne en la sartén, baje el fuego y remueva de vez en cuando.

3 Mezcle el yogur, el tomate concentrado, el jengibre, el ajo, la sal, la guindilla en polvo, el cilantro molido, la nuez moscada y el resto del garam masala en un cuenco aparte, y vierta la mezcla por encima de la carne. Fría entre 5 y 7 minutos procurando que la carne se impregne bien de las especias.

4 Añada la mitad del agua, junto con el hinojo, el pimentón y el besan, y luego el resto del agua con el laurel. Baje el fuego, tape y deje cocer 1 hora removiendo de vez en cuando.

5 Mezcle la harina y el agua templada, y viértala por encima del curry. Esparza las guindillas y el cilantro picado, y cueza hasta que la carne esté tierna y la salsa se espese. Decore con jengibre y cilantro picado, y sirva inmediatamente.

cordero picado al gratén

para 4 personas

5 cdas. de aceite vegetal

2 cebollas cortadas en rodajas

450 g de carne picada de cordero

2 cdas. de yogur

1 cdta. de guindilla en polvo

1 cdta. de jengibre fresco bien
    picado

1 diente de ajo majado

1 cdta. de sal

1½ cdtas. de garam masala (pág. 7)

½ cdta. de pimienta de Jamaica
    molida

2 guindillas verdes frescas

1 ramito de cilantro

PARA DECORAR Y PARA SERVIR

1 cebolla cortada en aros

cilantro picado

1 limón cortado en cuñas

pan naan (pág. 177)

hojas de ensalada

1 Caliente el grill a fuego medio. En una sartén, fría las cebollas con el aceite hasta que estén doradas.

2 Ponga la carne en un bol grande. Añada el yogur, la guindilla en polvo, el jengibre, el ajo, la sal, el garam masala y la pimienta, y mezcle bien.

3 Incorpore la mezcla de carne a las cebollas y saltee entre 10 y 15 minutos. Retire la sartén del fuego y reserve.

4 Mientras, despepite las guindillas, póngalas en un robot de cocina con la mitad del cilantro y triture hasta que quede bien picado. Si lo prefiere, puede picarlo todo muy fino con un cuchillo afilado. Reserve.

5 Ponga la carne en un robot de cocina y triture hasta obtener una mezcla homogénea. También puede aplastarla en un cuenco grande con un tenedor. Junte la carne y la mezcla reservada, y remueva bien.

6 Pase la mezcla a una fuente refractaria llana y póngala bajo el grill entre 10 y 15 minutos, removiendo un poco con un tenedor. Vigile para evitar que se queme.

7 Sirva decorado con aros de cebolla, cilantro y cuñas de limón, y acompañado de pan naan y ensalada.

keema de cordero

para 4 personas

2 cdas. de ghee (pág. 164)
  o aceite vegetal

1 cebolla picada

1 rama de canela

4 granos de cardamomo majados

1 hoja de curry

4 clavos de especia

1 cdta. de pasta de jengibre (pág. 7)

1 cdta. de pasta de ajo (pág. 7)

450 g de carne picada de cordero

2 cdtas. de cilantro molido

2 cdtas. de comino molido

1 cdta. de guindilla en polvo

150 g de yogur natural

1 cda. de extracto seco de fenogreco

sal

cilantro picado, para decorar

1 Caliente el ghee en un karahi, wok o sartén grande de fondo pesado. Añada la cebolla y sofríala 5 minutos, sin dejar de remover, o hasta que se ponga tierna.

2 Agregue la canela, los cardamomos, el curry y los clavos, y siga sofriendo, sin dejar de remover, durante 1 minuto. Luego, añada las pastas de jengibre y ajo, y remueva durante 1 minuto más.

3 Incorpore la carne picada y esparza por encima el cilantro molido, el comino y la guindilla en polvo. Fría 5 minutos o hasta que el cordero se dore, removiendo y desmenuzando la carne con una cuchara de madera.

4 Agregue el yogur y el fenogreco, y sazone con sal al gusto. Tape y deje cocer a fuego lento entre 20 y 30 minutos o hasta que la carne esté tierna y haya absorbido todo el líquido. Páselo a una bandeja caliente y deseche la hoja de curry. Decore con cilantro picado y sirva inmediatamente.

NOTA

En la India, este plato iría aromatizado con unas hojas de fenogreco fresco llamadas *methi*, normalmente 1 ramito. Separe y deseche siempre los tallos, pues tienen un regusto amargo.

VARIANTE

Si quiere, puede añadir 150 g de guisantes congelados 10 minutos antes de terminar la cocción.

curry de cordero

para 6 personas

1 kg de carne magra de cordero

7 cdas. de yogur natural

75 g de almendras

2 cdtas. de garam masala (pág. 7)

2 cdtas. de jengibre fresco bien
      picado

2 dientes de ajo majados

1½ cdtas. de guindilla en polvo

1½ cdtas. de sal

300 ml de aceite vegetal

3 cebollas bien picadas

4 cardamomos verdes

2 hojas de laurel

3 guindillas verdes frescas picadas

2 cdas. de zumo de limón

500 g de tomates en conserva

300 ml de agua

1 ramito pequeño de cilantro
      picado

arroz recién hecho, para acompañar

1 Con un cuchillo, corte el cordero en trozos pequeños e iguales.

2 Ponga el yogur, las almendras, el garam masala, el jengibre, el ajo, la guindilla en polvo y la sal en un cuenco grande, y mezcle todo bien.

3 Caliente el aceite en una sartén grande. Añada las cebollas, los cardamomos y las hojas de laurel, y saltee hasta que estén bien dorados.

4 Añada la carne y la mezcla de yogur y saltee entre 3 y 5 minutos.

5 Agregue 2 de las guindillas verdes, el zumo de limón y los tomates, y saltee 5 minutos más.

6 Añada el agua, tape la sartén y deje hervir a fuego lento entre 35 y 40 minutos.

7 Agregue el resto de la guindilla verde y el cilantro, y remueva hasta que la salsa se espese. Quite la tapa y suba el fuego si observa que la salsa está demasiado aguada.

8 Pase el curry a los platos y sirva caliente acompañado de arroz recién hecho.

asado de cordero adobado

para 6 personas

450 g de yogur natural

125 ml de zumo de limón

3 cdas. de vinagre de malta

2 cdtas. de guindilla en polvo

2 cdtas. de pasta de jengibre (pág. 7)

2 cdtas. de pasta de ajo (pág. 7)

1 cdta. de azúcar moreno

1 cdta. de sal

varias gotas de colorante

   alimentario rojo (opcional)

2,5 kg de pierna de cordero

aceite vegetal, para untar

ramitas de cilantro, para decorar

NOTA

El colorante rojo da al cordero un aspecto atractivo. Pero cuidado, hay colorantes sintéticos que pueden producir alergias y otros efectos, así que prescinda de él si quiere.

1 En un cuenco, mezcle el yogur, el limón, el vinagre, la guindilla, las pastas de jengibre y ajo, el azúcar, la sal y el colorante. Haga varios cortes profundos en la carne y póngala en una bandeja grande de horno. Vierta la mezcla por encima y presione para que se impregne bien por todas partes. Tape y deje enfriar en el frigorífico 8 horas o toda la noche.

2 Precaliente el horno a 190°C. Saque el cordero del frigorífico para que se ponga a temperatura ambiente y áselo 1¼ horas en el horno, rociándolo con su propio jugo de vez en cuando.

3 Saque la carne del horno y baje la temperatura a 160°C. Póngala en una hoja grande de papel de aluminio, úntela con aceite y envuélvala bien con el papel, que ha de quedar bien sellado. Métala otra vez en el horno y ásela entre 45 y 60 minutos más, o hasta que quede tierna.

4 Deje reposar 10 minutos antes de trinchar la carne y sírvala decorada con ramitas de cilantro.

cordero con coliflor

para 4 personas

1 coliflor

2 guindillas verdes frescas

300 ml de aceite vegetal

2 cebollas cortadas en rodajas

450 g de carne magra de cordero
   cortada en dados

1½ cdtas. de jengibre fresco bien
   picado

1-2 dientes de ajo majados

1 cdta. de guindilla en polvo

1 cdta. de sal

1 ramito pequeño de cilantro picado

900 ml de agua

1 cda. de zumo de limón

BAGHAAR

150 ml de aceite vegetal

4 guindillas rojas secas

1 cdta. de mezcla de semillas de
   mostaza y cebolla

1 Con un cuchillo afilado, divida la coliflor en ramilletes pequeños y pique bien las guindillas verdes.

2 Caliente el aceite en una sartén grande y fría las cebollas hasta que estén doradas. Baje el fuego e incorpore la carne sin dejar de remover.

3 Añada el jengibre, el ajo, la guindilla en polvo y la sal. Saltee 5 minutos sin dejar de remover para que se mezcle todo bien.

4 Agregue la mitad de la guindilla verde y del cilantro, y el agua. Tape y cueza a fuego lento 30 minutos.

5 Añada la coliflor y hierva entre 15 y 20 minutos o hasta que se haya evaporado del todo el agua. Saltee la mezcla 5 minutos más, retire la sartén del fuego y rocíe por encima el zumo de limón.

6 Para preparar el baghaar, caliente el aceite en una sartén pequeña. Añada las guindillas rojas y las semillas de mostaza y cebolla, y tuéstelas hasta que adquieran un tono más oscuro removiéndolas de vez en cuando. Retire la sartén del fuego y vierta la mezcla por encima de la coliflor.

7 Decore con el resto de la guindilla verde y el cilantro picado, y sirva inmediatamente.

cordero picado con guisantes

para 4 personas

6 cdas. de aceite vegetal

1 cebolla cortada en rodajas

2 guindillas rojas frescas picadas

1 ramito de cilantro picado

2 tomates picados

1 cdta. de sal

1 cdta. de jengibre fresco bien
   picado

1 diente de ajo majado

1 cdta. de guindilla en polvo

450 g de carne picada de cordero

100 g de guisantes

2 guindillas verdes frescas

1 Caliente el aceite en una sartén mediana. Añada la cebolla y fríala hasta que esté dorada.

2 Añada las guindillas rojas, la mitad del cilantro picado y los tomates, y rehogue a fuego lento.

3 Agregue la sal, el jengibre, el ajo y la guindilla en polvo, y remueva para que se mezcle todo bien.

4 Incorpore el cordero picado y saltee entre 7 y 10 minutos.

5 Agregue los guisantes y saltee entre 3 y 4 minutos más, removiendo de vez en cuando.

6 Sirva el cordero con guisantes en platos calientes decorados con las guindillas verdes y el resto del cilantro.

NOTA

La intensidad del sabor del ajo depende del modo en que se use. Añadir un diente de ajo entero a un plato aporta sabor, pero no necesariamente picante; cortado por la mitad confiere un picante suave; bien picado desprende gran parte de su sabor, pero majado es como desprende todo su aroma y gusto.

cordero asado

para 4 personas

2,5 kg de pierna de cordero

2 cdtas. de jengibre fresco picado

2 cdtas. de ajo majado

2 cdtas. de garam masala (pág. 7)

1 cdta. de sal

2 cdtas. de semillas de comino negro

4 granos de pimienta negra

3 clavos de especia

1 cdta. de guindilla en polvo

3 cdas. de zumo de limón

300 ml de aceite vegetal

1 cebolla grande pelada y entera

unos 2 l de agua

PARA SERVIR

hojas de ensalada

patatas recién cocidas

NOTA

Tradicionalmente, este plato se prepara en *degchis* o sartenes que se calientan sobre brasas con carbones encendidos en la tapa .

1 Retire la grasa al cordero con un cuchillo afilado y pinche la carne por todas partes con un tenedor.

2 Mezcle el jengibre, el ajo, el garam masala, la sal, el comino negro, la pimienta, los clavos y la guindilla en polvo en un cuenco. Añada el zumo de limón y mezcle bien. Con una cuchara, vierta la mezcla por encima del cordero, frote la carne con ella para que se impregne bien, y reserve.

3 Caliente el aceite en una sartén grande. Incorpore la carne y disponga la cebolla a ambos lados de la misma.

4 Añada agua hasta cubrir la carne y cueza a fuego lento entre 2½ y 3 horas, dándole la vuelta de vez en cuando. (Si el agua se evapora y la carne aún no está tierna, añada un poco más.) Cuando haya absorbido toda el agua, dele la vuelta a la carne para que se dore uniformemente.

5 Ponga el cordero en una bandeja y córtelo en lonchas o sírvalo entero para trinchar en la mesa. Se puede tomar frío o caliente, acompañado de las hojas de ensalada y las patatas.

rogan josh

para 6 personas

250 g de yogur natural

½ cdta. de cayena

¼ cdta. de asafétida

1 kg de cordero, cortado en dados

1 cda. de semillas de cilantro

1 cda. de semillas de cardamomo

1 cdta. de semillas de comino

1 cdta. de semillas de amapola
blanca

8 granos de pimienta negra

4 clavos de especia

1 trozo de jengibre fresco de 3 cm

4 dientes de ajo

2 cdas. de almendras

300 ml de agua

4 cdas. de ghee o aceite vegetal

1 cebolla picada

1 cdta. de cúrcuma molida

2 cdas. de cilantro picado

1 cdta. de garam masala (pág. 7)

sal

1 Mezcle el yogur, la cayena y la asafétida en una fuente grande y llana. Añada el cordero e imprégnelo bien con la mezcla. Tape y reserve.

2 Precaliente el horno a 140°C. Triture las semillas de cilantro, cardamomo, comino y amapola en un robot de cocina con los granos de pimienta, los clavos, el jengibre, el ajo, las almendras y 4 cucharadas de agua (añada más si es necesario) hasta formar una pasta. Reserve.

3 Caliente el ghee en una cazuela refractaria. Añada la cebolla y sofríala 10 minutos o hasta que esté dorada. Agregue la pasta de especias y la cúrcuma, y fría 5 minutos sin dejar de remover. Incorpore el cordero con el adobo, suba el fuego y rehogue 10 minutos sin dejar de remover. Tape y cueza a fuego lento 45 minutos más.

4 Vierta 4 cucharadas de agua y remueva hasta que se haya absorbido. Vierta otras 4 cucharadas más y espere a que se embeba otra vez. Agregue el resto del agua, tape de nuevo y deje a fuego lento 15 minutos. Añada el cilantro picado y el garam masala y sazone con sal al gusto. Tape la cazuela, métala en el horno y cueza 25 minutos más. Sirva inmediatamente.

albóndigas en salsa

para 4 personas

450 g de carne picada de cordero

1 cdta. de jengibre fresco picado

1 diente de ajo majado

1 cdta. de garam masala (pág. 7)

1½ cdtas. de semillas de amapola

1 cdta. de sal

½ cdta. de guindilla en polvo

1 cebolla bien picada

1 guindilla verde fresca bien picada

¼ ramito de cilantro bien picado

1 cda. de besan

150 ml de aceite vegetal

SALSA

2 cdas. de aceite vegetal

3 cebollas bien picadas

2 ramitas de canela

2 cardamomos negros grandes

1 cdta. de jengibre fresco bien
    picado

1 diente de ajo majado

1 cdta. de sal

75 g de yogur natural

150 ml de agua

PARA DECORAR

cilantro bien picado

1 guindilla verde fresca bien picada

1 limón cortado en cuñas

1 Ponga el cordero en un bol grande. Añada el jengibre, el ajo, el garam masala, las semillas de amapola, la sal, las dos guindillas, la cebolla, el cilantro y el besan, y mezcle con un tenedor.

2 Con las manos húmedas, haga pequeñas albóndigas con la masa y reserve.

3 Para preparar la salsa, caliente el aceite en una sartén y fría en ella las cebollas hasta que estén doradas. Añada la canela y los cardamomos, baje el fuego y saltee 5 minutos más. Agregue el jengibre, el ajo, la sal, el yogur y el agua, y mezcle bien.

4 Pase la salsa a un cuenco y decore con la guindilla verde y el cilantro picado.

5 Caliente el aceite en una sartén y fría las albóndigas entre 8 y 10 minutos, dándoles la vuelta de vez en cuando, o hasta que estén doradas.

6 Disponga las albóndigas en platos calientes y decore con las cuñas de limón. Sirva con la salsa.

patatas con carne y yogur

para 6 personas

3 patatas

300 ml de aceite vegetal

3 cebollas cortadas en rodajas

1 kg de pierna de cordero en dados

1 cdta. de garam masala (pág. 7)

1½ cdtas. de jengibre fresco bien
  picado

1-2 dientes de ajo majados

1 cdta. de guindilla en polvo

3 granos de pimienta negra

3 cardamomos verdes

1 cdta. de semillas de comino negro

2 ramas de canela

1 cdta. de pimentón

1½ cdtas. de sal

150 g de yogur natural

625 ml de agua

PARA DECORAR

2 guindillas verdes frescas picadas

cilantro picado

1 Pele y corte cada patata en 6 trozos.

2 Caliente el aceite en un cazo. Agregue las cebollas y fríalas hasta que estén doradas. Sáquelas del cazo y resérvelas.

3 Añada la carne al cazo junto con el garam masala y sofríala entre 5 y 7 minutos a fuego lento.

4 Incorpore las cebollas y retire el cazo del fuego.

5 Mezcle el jengibre con el ajo, la guindilla en polvo, la pimienta, los cardamomos, las semillas de comino, la canela, el pimentón y la sal en un cuenco pequeño. Añada el yogur y remueva bien.

6 Ponga de nuevo el cazo en el fuego y añada la mezcla de especias y yogur poco a poco. Saltee entre 7 y 10 minutos, añada el agua, baje el fuego y deje cocer tapado 40 minutos, removiendo de vez en cuando.

7 Agregue las patatas y cueza todo tapado 15 minutos más, removiendo con cuidado de vez en cuando. Decore con guindillas verdes y cilantro, y sirva inmediatamente.

shish kebabs

para 2 personas

450 g de carne picada de cordero

¼ ramito de cilantro

1 cebolla bien picada

2 guindillas verdes bien picadas

2 cdas. de yogur natural

1 cdta. de jengibre fresco bien
   picado

1 diente de ajo majado

1 cdta. de comino molido

1 cdta. de cilantro molido

½ cdta. de sal

1 cdta. de guindilla en polvo,
   y un poco más para decorar

½ cdta. de pimienta de Jamaica
   molida

1 cdta. de garam masala (pág. 7)

PARA SERVIR

1 limón cortado en cuñas

raita (pág. 222)

1 Unte con aceite las brochetas o remójelas en agua fría si son de madera.

2 Precaliente el grill a fuego medio. Pique bien el cilantro y mézclelo con la cebolla y las guindillas verdes en un cuenco.

3 Mezcle el yogur, el jengibre, el ajo, el comino, el cilantro molido, la sal, la guindilla en polvo, la pimienta y el garam masala en un bol aparte, y añádalo a la mezcla de cebolla.

4 Incorpore la mezcla a la carne, imprégnela bien y divídala en 10 o 12 porciones iguales. Ponga 2 en cada brocheta y presione por todas partes para que se agarren bien.

VARIANTE

Servido en pan de pita es ideal para fiestas. La carne también se puede picar y tomar en ensalada.

5 Ase los kebabs de 8 a 10 minutos, dándoles la vuelta y rociándolos de vez en cuando con aceite.

6 Esparza por encima la guindilla en polvo y sirva con cuñas de limón y el raita que prefiera.

khorma de cordero con tomate

para 2-4 personas

1 cda. de garam masala (pág. 7)

1 cda. de jengibre fresco picado

1 diente de ajo majado

2 cardamomos negros

1 cda. de guindilla en polvo

½ cda. de semillas de comino negro

2 ramas de canela de 2,5 cm

1 cda. de sal

150 g de yogur natural

500 g de cordero cortado en dados

150 ml de aceite vegetal

2 cebollas cortadas en rodajas

625 ml de agua

2 tomates grandes cortados
     en cuartos

2 cdas. de zumo de limón

2 guindillas verdes frescas, picadas,
     para decorar

1 Pique bien el jengibre y mézclelo en un bol grande con el garam masala, el ajo, los cardamomos, la guindilla en polvo, el comino negro, la canela, la sal y el yogur.

NOTA

Los khormas se preparan a fuego lento en su propio jugo. Muchos descienden de especiados platos mogoles, de inspiración persa, que se servían en ocasiones especiales. El yogur es protagonista en adobos y en caldos de cocción.

2 Añada la carne y remueva para que se impregne bien. Reserve.

3 Caliente el aceite en una sartén grande y fría las cebollas hasta que estén doradas.

4 Agregue la carne a las cebollas y saltee 5 minutos. Baje el fuego y añada el agua. Tape la sartén y deje hervir 1 hora removiendo de vez en cuando.

5 Incorpore los tomates, rocíe el zumo de limón y deje hervir entre 7 y 10 minutos más.

6 Sirva el curry caliente decorado con las guindillas verdes picadas.

cordero con espinacas

para 2-4 personas

300 ml de aceite

2 cebollas cortadas en rodajas

¼ ramito de cilantro picado

3 guindillas verdes frescas picadas

1½ cdtas. de jengibre fresco
   bien picado

1-2 dientes de ajo majados

1 cdta. de guindilla en polvo

½ cdta. de cúrcuma molida

450 g de cordero cortado en dados

1 cdta. de sal

1 kg de espinacas frescas picadas o
   425 g de espinacas congeladas

700 ml de agua

PARA DECORAR

jengibre fresco rallado

1 guindilla roja picada

cilantro picado

1 Caliente el aceite en una sartén y
fría las cebollas hasta que estén
ligeramente doradas.

2 Añada el cilantro y las guindillas
verdes, y saltee de 3 a 5 minutos.

3 Baje el fuego y agregue el jengibre, el ajo, la guindilla en polvo
y la cúrcuma procurando que se mezcle
todo bien.

4 Incorpore el cordero y saltee
5 minutos. Añada la sal y las
espinacas y saltee entre 3 y 5 minutos
más, removiendo de vez en cuando.

5 Vierta el agua, remueva, tape
la sartén y deje a fuego lento
45 minutos. Quite la tapa y compruebe
si la carne está tierna. Si no es así, dele
la vuelta, suba el fuego y cueza sin
tapar hasta que se evapore el exceso
de agua. Saltee la mezcla entre 5 y 7
minutos más.

6 Pase el cordero y las espinacas
a una bandeja caliente y decore
con las tiras de jengibre, el cilantro y
la guindilla roja picada. Sirva caliente.

huevos cubiertos de carne

para 6 personas

450 g de carne picada de cordero

1 cebolla pequeña bien picada

1 guindilla verde fresca bien picada

1 cdta. de jengibre fresco bien
   picado

1 diente de ajo majado

1 cdta. de cilantro molido

1 cdta. de garam masala (pág. 7)

1 cdta. de sal

1½ cdas. de besan

7 huevos, 1 batido y 6 duros
   y pelados

aceite de maíz abundante, para freír

hojas de ensalada, para acompañar

PARA DECORAR

rodajas de tomate

1 limón cortado en cuñas

1 Ponga el cordero, la cebolla y la guindilla en un bol y mezcle todo bien. Triture la mezcla en un robot de cocina hasta que quede homogénea. También puede majarla a mano con un mortero.

2 Saque la mezcla del robot y añada el jengibre, el ajo, el cilantro molido, el garam masala, la sal, el besan y el huevo batido. Trabaje con las manos hasta obtener una masa homogénea.

3 Divida la masa en 6 porciones iguales, forme un círculo plano de 5 mm de grosor con cada una y ponga un huevo duro sin cáscara en el centro. Envuelva bien los huevos con la carne hasta cubrirlos completamente, y déjelos en un lugar fresco entre 20 y 30 minutos.

4 Mientras, ponga abundante aceite en una sartén honda y caliente a 180°C o hasta que un dado de pan se dore en 30 segundos. Fría los huevos de 2 a 4 minutos o hasta que estén dorados. Sáquelos con una espumadera y déjelos escurrir sobre papel de cocina. Decore con rodajas de tomate y cuñas de limón, y sírvalos acompañados de ensalada.

VARIANTE

Este plato puede servirse en salsa.
Siga la receta de las Albóndigas
en salsa (pág. 34).

chuletas de cordero con especias

para 4-6 personas

1 kg de chuletas de cordero

2 cdtas. de jengibre fresco bien
    picado

2 dientes de ajo majados

1 cdta. de pimienta

1 cdta. de garam masala (pág. 7)

1 cdta. de semillas de comino negro

1½ cdtas. de sal

950 ml de agua

2 huevos

300 ml de aceite

PARA DECORAR

patatas chips (pág. 153)

tomates

1 limón cortado en cuñas

1 Con un cuchillo afilado, retire el exceso de grasa de las chuletas de cordero.

2 Mezcle el jengibre, el ajo, la pimienta, el garam masala, el comino y la sal en un bol, e impregne las chuletas bien con la mezcla.

3 Lleve el agua a ebullición en una cacerola. Añada las chuletas y la mezcla de especias y cueza 45 minutos, removiendo de vez en cuando. En cuanto el agua se haya evaporado, retire del fuego y deje enfriar.

4 Con un tenedor, bata los huevos en un cuenco grande.

5 Caliente el aceite en una sartén grande. Pase las chuletas por el huevo batido y fríalas 3 minutos, dándoles la vuelta sólo una vez.

6 Disponga las chuletas en una bandeja y decore con las patatas chips, los tomates y las cuñas de limón. Sirva caliente.

cordero con lentejas

para 6 personas

100 g de chana dal

100 g de masoor dal

100 g de moong dal

100 g de urid dal

75 g de copos de avena

KHORMA

1,5 kg de cordero cortado en dados

175 ml de yogur natural

2 cdtas. de jengibre fresco bien
   picado

2 dientes de ajo majados

1 cda. de garam masala (pág. 7)

2 cdtas. de guindilla en polvo

½ cdta. de cúrcuma molida

3 cardamomos verdes

2 ramas de canela

1 cda. de semillas de comino negro

2 cdtas. de sal

450 ml de aceite

5 cebollas cortadas en rodajas

750 ml de agua

2 guindillas verdes frescas

1 ramito pequeño de cilantro picado

½ ramito de cilantro picado,
   para decorar

1 Deje las lentejas y la avena 1 noche en remojo. Escúrralas y póngalas a hervir en una cacerola con agua de 1 a 1½ horas o hasta que estén tiernas. Luego, tritúrelas y resérvelas.

2 Ponga la carne en un bol grande. Añada el yogur, el jengibre, el ajo, el garam masala, la guindilla en polvo, la cúrcuma, los cardamomos, la canela, el comino y la sal; mezcle bien y reserve.

3 Caliente 300 ml de aceite en una sartén y fría en ella ⅗ partes de las cebollas hasta que estén doradas. Agregue la carne y saltee de 7 a 10 minutos. Vierta el agua y cueza tapado a fuego lento 1 hora, removiendo de vez en cuando. Si la carne aún no está tierna, añada más agua y cueza de 15 a 20 minutos más. Luego, retire la sartén del fuego.

4 Incorpore las lentejas a la carne y mezcle todo bien. Si queda demasiado espeso, agregue 300 ml de agua, remueva y guise entre 10 y 12 minutos más. Añada las guindillas y el cilantro, pase el guiso a una fuente y manténgalo caliente.

5 Caliente el resto del aceite, fría el resto de la cebolla hasta que esté dorada y viértala por encima del guiso. Sirva decorado con el cilantro picado.

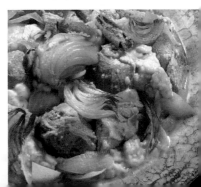

tomates rellenos

para 6 personas

6 tomates grandes y firmes

50 g de mantequilla

5 cdas. de aceite vegetal

1 cebolla bien picada

1 cdta. de jengibre fresco bien
   picado

1 diente de ajo majado

1 cdta. de pimienta

1 cdta. de sal

½ cdta. de garam masala (pág. 7)

450 g de carne picada de cordero

1 guindilla verde fresca

1 ramito pequeño de cilantro
   picado

1 limón cortado en cuñas,
   para decorar

hojas de ensalada, para acompañar

VARIANTE

También puede rellenar
pimientos rojos o verdes con
esta mezcla.

---

1 Precaliente el horno a 180ºC.
Enjuague los tomates, córtelos
por arriba, extráigales la pulpa y reserve la parte superior.

2 Engrase una fuente refractaria con
la mantequilla y ponga en ella los
tomates.

3 Caliente el aceite en una sartén
y fría la cebolla hasta que esté
dorada.

4 Baje el fuego y agregue el jengibre, el ajo, la pimienta, la sal
y el garam masala. Sofría entre 3 y
5 minutos.

5 Agregue la carne y sofría entre
10 y 15 minutos más.

6 Añada la guindilla y el cilantro,
y sofría otros 3 o 5 minutos.

7 Con una cuchara, rellene los
tomates con la mezcla, vuelva a
ponerles la parte superior y áselos en
el horno entre 15 y 20 minutos.

8 Pase los tomates a los platos,
decore con cuñas de limón y
sírvalos acompañados de ensalada.

cordero con cebollas y mango

para 4 personas

4 cebollas

300 ml de aceite vegetal

1 cdta. de jengibre fresco bien
   picado

1 diente de ajo majado

1 cdta. de guindilla en polvo

1 pizca de cúrcuma molida

1 cdta. de sal

3 guindillas verdes frescas picadas

450 g de carne magra de cordero
   cortada en dados

625 ml de agua

1½ cdtas. de amchoor
   (mango seco en polvo)

1 ramito pequeño de cilantro picado

arroz recién hecho, para acompañar

1 Con un cuchillo afilado, pique 3 cebollas.

2 Caliente 150 ml del aceite en una sartén y fría las cebollas hasta que estén doradas. Baje el fuego, añada el jengibre, el ajo, la guindilla en polvo, la cúrcuma y la sal, y saltee 5 minutos. Luego, agregue dos terceras partes de la guindilla verde.

3 Incorpore la carne y saltee todo durante 7 minutos más.

4 Vierta el agua, tape la sartén y cueza a fuego lento entre 35 y 45 minutos, removiendo de vez en cuando, hasta que la carne esté tierna.

5 Mientras, pique el resto de la cebolla y fríala en una sartén con el resto del aceite hasta que esté dorada. Reserve.

6 Cuando la carne esté tierna, añada el amchoor, el resto de la guindilla verde y el cilantro picado, y saltee entre 3 y 5 minutos.

7 Pase el curry a una bandeja y vierta la cebolla frita y el aceite por el centro. Sirva caliente y acompañado de arroz recién hecho.

kebabs de cordero

para 6-8 personas

1 kg de cordero deshuesado
y cortado en dados

1½ cdtas. de jengibre fresco
bien picado

1-2 dientes de ajo majados

1 cdta. de guindilla en polvo

½ cdta. de cúrcuma molida

½ cdta. de sal

2 cdas. de agua

8 tomates cortados por la mitad

8 cebollas encurtidas pequeñas

10 champiñones

1 pimiento verde cortado en trozos
grandes

1 pimiento rojo cortado en trozos
grandes

2 cdas. de aceite vegetal

2 limones cortados en cuñas,
para decorar

PARA SERVIR

arroz recién hecho

raita (pág. 222)

1 Pase la carne brevemente por agua fría. Séquela con papel de cocina y reserve.

2 Precaliente el grill a temperatura media. Ponga el jengibre, el ajo, la guindilla en polvo, la cúrcuma y la sal en un bol. Vierta el agua y mezcle bien hasta obtener una pasta homogénea. Incorpore la carne y remueva para que se impregne bien de especias.

3 Inserte los dados de carne en brochetas metálicas, alternando 1 trozo de tomate, 1 cebolla encurtida, 1 champiñón y 1 trozo de pimiento. Luego, unte todo bien con aceite.

4 Ase los kebabs en el grill entre 25 y 30 minutos o hasta que la carne esté bien hecha por dentro. Luego, retire los kebabs y dispóngalos en un plato. Decore con cuñas de limón a un lado y sirva inmediatamente acompañado de arroz recién hecho y el raita que prefiera.

curry de cordero picante en salsa

para 4 personas

2 cdtas. de semillas de comino

2 cdtas. de semillas de cilantro

2 cdtas. de coco rallado y no dulce

1 cda. de mezcla de semillas de
   mostaza y cebolla

2 cdtas. de semillas de sésamo

1 cda. de jengibre fresco picado

1 diente de ajo majado

1 cda. de guindilla en polvo

1 cda. de sal

450 g de carne magra de cordero
   cortada en dados

450 ml de aceite vegetal

3 cebollas cortadas en rodajas

900 ml de agua

2 cdas. de zumo de limón

4 guindillas verdes frescas partidas

PARA SERVIR

dal con cebollas (pág. 158)

arroz recién hecho

1 Tueste el comino, el cilantro, el coco, la mezcla de mostaza y cebolla, y el sésamo en una sartén de fondo pesado, procurando moverla bastante para que no se quemen. Luego, maje las especias tostadas en un mortero.

2 Mezcle las especias tostadas y majadas con el jengibre, el ajo, la guindilla en polvo, la sal y la carne en un bol, y reserve.

3 Caliente 300 ml de aceite en una sartén y fría las cebollas hasta que estén doradas.

4 Añada la carne con especias y sofríala entre 5 y 7 minutos. Vierta el agua y cueza 45 minutos, removiendo de vez en cuando. Cuando la carne esté bien hecha por dentro, retírela del fuego y rocíe el zumo de limón por encima.

5 Caliente el resto del aceite en una sartén aparte. Añada las guindillas verdes, baje el fuego y tape. Retire del fuego después de 30 segundos y deje enfriar.

6 Vierta la mezcla de guindilla y aceite por encima del curry de cordero y sirva caliente acompañado de dal con cebollas y arroz.

cerdo al tamarindo

para 6 personas

55 g de tamarindo seco picado

500 ml de agua hirviendo

2 guindillas verdes frescas,
   sin pepitas y troceadas

2 cebollas troceadas

2 dientes de ajo troceados

1 tallo y el bulbo de hierba de limón
   troceado

2 cdas. de ghee o aceite vegetal

1 cda. de cilantro molido

1 cdta. de cúrcuma molida

1 cdta. de cardamomo molido

1 cdta. de guindilla en polvo

1 cdta. de pasta de jengibre (pág. 7)

1 rama de canela

1 kg de solomillo de cerdo en dados

1 cda. de cilantro picado

pan naan (pág. 177),
   para acompañar

PARA DECORAR

ramitas de cilantro

rodajas de guindilla roja fresca

1 Ponga el tamarindo seco en un cuenco pequeño, vierta el agua hirviendo por encima y mezcle todo bien. Deje en remojo 30 minutos.

2 Escurra el jugo en un bol limpio, aplastando bien la pulpa con el dorso de una cuchara de madera. Deseche la pulpa y vierta 1 cucharada del jugo en un robot de cocina. Agregue las guindillas verdes, las cebollas, el ajo y la hierba de limón, y triture hasta obtener una mezcla homogénea.

3 Caliente el ghee en una cacerola grande de fondo pesado. Añada el cilantro molido, la cúrcuma, el cardamomo, la guindilla en polvo, las pastas de jengibre y guindilla, y la canela, y tueste todo 2 minutos, sin dejar de remover, hasta que las especias desprendan su aroma.

4 Incorpore la carne y saltéela, sin dejar de remover, hasta que esté ligeramente dorada y bien impregnada de especias. Vierta el resto del jugo de tamarindo y lleve a ebullición. Baje el fuego y hierva, tapado, unos 30 minutos. Quite la tapa y hierva 30 minutos más o hasta que la carne esté tierna. Esparza el cilantro picado, decore con las ramitas de cilantro y las rodajas de guindilla, y sirva con el pan naan.

NOTA

El tamarindo seco suele comprarse en bloques compactos en grandes superficies y tiendas de comida asiática. Si no lo encuentra, use 425 ml de zumo de limón, pero tenga en cuenta que el sabor no será el mismo.

curry de cerdo con champiñones

para 4 personas

750 g de pierna o paleta de cerdo

3 cdas. de aceite vegetal

2 cebollas cortadas en rodajas

2 dientes de ajo majados

1 trozo de jengibre fresco de 2,5 cm
   bien picado

2 guindillas verdes frescas sin
   pepitas y picadas, o 1-2 cdtas.
   de guindilla seca en láminas

1½ cdas. de pasta curry
   semipicante

1 cdta. de cilantro molido

200-250 g de champiñones
   cortados en láminas gruesas

900 ml de caldo de pollo o de
   verduras

3 tomates picados

½-1 cdta. de sal

55 g de coco cremoso picado

2 cdas. de almendras molidas

arroz recién hecho, para acompañar

PARA DECORAR

2 cdas. de aceite vegetal

1 pimiento verde o rojo sin pepitas
   y cortado en tiras finas

6 cebolletas cortadas en rodajas

1 cdta. de semillas de comino

1 Corte la carne en dados. Caliente el aceite en una sartén y fría la carne por tandas y removiendo a menudo hasta que esté bien hecha. Vaya sacando los dados de carne conforme vea que están hechos.

2 Ponga la cebolla, el ajo, el jengibre, las guindillas, la pasta curry y el cilantro molido en la sartén, y sofría todo 2 minutos. Agregue los champiñones, el caldo y los tomates, y sazone con sal al gusto.

3 Vuelva a poner la carne en la sartén, imprégnela bien con las especias y cueza a fuego lento entre 1¼ y 1½ horas o hasta que esté tierna.

4 Añada el coco y las almendras molidas, tape y cueza a fuego lento 3 minutos.

5 Mientras, prepare la decoración. Caliente el aceite en una sartén aparte y fría las tiras de pimiento y las rodajas de cebolleta hasta que estén transparentes y tiernas pero aún crujientes. Añada el comino y saltee 30 segundos más. Vierta la mezcla con una cuchara por encima del curry y sirva con arroz recién hecho.

cerdo con canela y fenogreco

para 4 personas

1 cdta. de cilantro molido

1 cdta. de comino molido

1 cdta. de guindilla en polvo

1 cda. de extracto seco de fenogreco

1 cdta. de fenogreco molido

150 g de yogur natural

450 g de solomillo de cerdo cortado
en dados

4 cdas. de ghee o aceite vegetal

1 cebolla grande cortada en rodajas

1 trozo de jengibre fresco de 5 cm
bien picado

4 dientes de ajo bien majados

1 rama de canela

6 granos de cardamomo

6 clavos de especia enteros

2 hojas de laurel

180 ml de agua

patatas Bombay (pág. 204),
para acompañar

1 Mezcle el cilantro, el comino, la guindilla en polvo, todo el fenogreco y el yogur en un bol pequeño. Ponga la carne en un plato no metálico grande y llano, añada la mezcla de especias e impregne bien la carne con ella. Tape y deje adobar en el frigorífico 30 minutos.

2 Caliente el ghee en un cazo grande de fondo pesado y fría en él la cebolla durante 5 minutos o hasta que se ponga tierna. Añada el jengibre, el ajo, la canela, el cardamomo, los clavos y el laurel, y saltee, sin dejar de remover, 2 minutos o hasta que las especias desprendan su aroma. Incorpore la carne con el adobo y el agua, y sazone con sal al gusto. Lleve a ebullición, baje el fuego y cueza, tapado, 30 minutos.

3 Pase la carne a un wok o una sartén grande de fondo pesado y sofríala, sin dejar de remover, hasta que esté seca y tierna. Si es necesario, vierta un poco de agua para evitar que se pegue. Sirva acompañada de patatas Bombay.

dhansak de vacuno

para 6 personas

2 cdas. de ghee o aceite vegetal

2 cebollas picadas

3 dientes de ajo bien picados

2 cdtas. de cilantro molido

2 cdtas. de comino molido

2 cdtas. de garam masala (pág. 7)

1 cdta. de cúrcuma molida

450 g de calabacines pelados y
   picados, o de pepino amargo o
   calabaza pelado, sin pepitas y
   picado

1 berenjena pelada y picada

4 hojas de curry

220 g de masoor dal

1 l de agua

1 kg de filetes de vacuno cortados
   en dados

hojas de cilantro, para decorar

1 Caliente el ghee en una cacerola de fondo pesado y sofría las cebollas y el ajo a fuego lento, removiendo de vez en cuando, entre 8 y 10 minutos o hasta que estén ligeramente dorados. Añada el cilantro, el comino, el garam masala y la cúrcuma, y siga sofriendo 2 minutos más.

2 Agregue los calabacines, la berenjena, las hojas de curry, los masoor dal y el agua, y lleve todo a ebullición. Baje el fuego y cueza, tapado, 30 minutos o hasta que las verduras estén tiernas. Retire la cacerola del fuego y deje enfriar un poco. Pase la mezcla a un robot de cocina (por tandas si es necesario) y triture hasta obtener una mezcla homogénea. Vuelva a poner todo en la sartén y sazone con sal al gusto.

NOTA

Los pepinos amargos se usan mucho en la cocina india. Para prepararlos, hay que pelar la piel rugosa con un cuchillo afilado y sacar y desechar las semillas antes de trocearlos.

3 Ponga la carne en la cacerola y lleve todo a ebullición. Baje el fuego, tape y cueza durante 1½ horas. Destape y siga cociendo 30 minutos más o hasta que la salsa se espese bastante y la carne esté tierna. Sirva decorado con hojas de cilantro.

hamburguesas de vacuno

para 4 personas

3 cdas. de chana dal

450 g de carne de vacuno en dados

1 cdta. de jengibre fresco bien
   picado

1 diente de ajo majado

1 cdta. de guindilla en polvo

1½ cdtas. de sal

1½ cdtas. de garam masala (pág. 7)

3 guindillas verdes frescas picadas

1 ramito de cilantro

1 cebolla picada

300 ml de aceite vegetal

900 ml de agua

2 cdas. de yogur natural

1 huevo

PARA DECORAR

1 cebolla pequeña cortada en aros

1 limón cortado en cuñas

1 Enjuague las chana dal dos veces bajo agua corriente para limpiarlas de arenilla y otras impurezas. Póngalas en un cazo con agua y llévelas a ebullición hasta que embeban toda el agua y estén tiernas. Luego, tritúrelas en un robot de cocina hasta obtener una pasta homogénea.

2 Mezcle la carne, el jengibre, el ajo, la guindilla en polvo, la sal y el garam masala en un bol. Añada 2 de las guindillas rojas, la mitad del cilantro y la cebolla.

3 Caliente 2 cucharadas del aceite en una sartén y ponga en ella la mezcla de carne y el agua. Tape y cueza a fuego lento entre 45 y 60 minutos. Cuando la carne esté tierna, quite la tapa para que se evapore el exceso de agua y cueza de 10 a 15 minutos más. Pase la mezcla de carne a un robot de cocina y triture hasta obtener una pasta homogénea.

4 Mezcle el yogur, el huevo, la pasta de chana dal, el resto de la guindilla verde y el cilantro en un bol con la carne y amase todo bien con los dedos. Luego, con las palmas de las manos, forme de 10 a 12 hamburguesas.

5 Caliente el resto del aceite en una sartén y fría las hamburguesas, en tandas de 3, durante 5 o 10 minutos, dándoles la vuelta una vez.

6 Sírvalas decoradas con aros de cebolla y cuñas de limón.

khorma de vacuno con almendras

para 6 personas

300 ml de aceite vegetal

3 cebollas bien picadas

1 kg de carne de vacuno cortada
  en dados

1½ cdtas. de garam masala (pág. 7)

1½ cdtas. de cilantro molido

1½ cdtas. de jengibre fresco picado

1-2 dientes de ajo majados

1 cda. de sal

150 g de yogur natural

2 clavos de especia

3 cardamomos verdes

4 granos de pimienta negra

625 ml de agua

pappadams, para acompañar

PARA DECORAR

6 almendras peladas y picadas

2 guindillas verdes frescas picadas

cilantro picado

1 Caliente el aceite en una sartén grande y fría las cebollas hasta que estén doradas. Saque la mitad y resérvela.

2 Añada la carne a la mitad de las cebollas que queda en la sartén, saltee 5 minutos y retire del fuego.

3 Mezcle el garam masala, el cilantro molido, el jengibre, el ajo, la sal y el yogur en un bol, e incorpore gradualmente la carne procurando que se impregne bien de yogur y especias. Páselo todo a la sartén con las cebollas, póngala al fuego y saltee de 5 a 7 minutos o hasta que la mezcla empiece a dorarse.

4 Agregue los clavos, los cardamomos y la pimienta. Añada el agua, baje el fuego y cueza, tapado, entre 45 y 60 minutos. Si se evapora toda el agua antes de que la carne esté tierna, añada 300 ml más y cueza entre 10 y 15 minutos más, removiendo de vez en cuando.

5 Justo antes de servir, decore con las cebollas reservadas, las guindillas, las almendras y el cilantro. Sirva acompañado de pappadams.

curry de vacuno con sambal de zanahorias

para 6 personas

4 cdas. de ghee o aceite vegetal

2 guindillas verdes frescas sin
   pepitas y picadas

2 cebollas picadas

1 kg de filetes de vacuno cortados
   en dados

240 g de tomates en conserva
   escurridos

sal

2 cdtas. de cilantro molido

1½ cdtas. de garam masala (pág. 7)

1 cda. de comino molido

3 cdas. de pasta curry (pág. 7)

300 ml de leche de coco

1 cda. de cilantro picado, para
   decorar

SAMBAL DE ZANAHORIAS

1 cda. de ghee o aceite vegetal

40 g de coco rallado

1 cda. de granos de mostaza negra

3 zanahorias ralladas

4 cdas. de zumo de limón

80 g de pasas

4 cdas. de hierbabuena fresca
   picada

1 Para preparar el sambal, caliente el ghee en una sartén pequeña. Añada el coco y los granos de mostaza, y saltéelos a fuego lento, sin dejar de remover, durante 2 minutos o hasta que el coco empiece a dorarse. Pase la mezcla a un bol y agregue las zanahorias, el zumo de limón, las pasas y la hierbabuena. Mezcle bien y reserve.

2 Para preparar el curry, caliente el ghee en una cacerola de fondo pesado y fría las guindillas y las cebollas a fuego lento, removiendo de vez en cuando, hasta que las cebollas estén doradas. Incorpore la carne y saltéela, removiendo a menudo, durante 10 minutos o hasta que esté dorada por todos lados. Agregue los tomates y sazone con sal al gusto.

3 Mezcle el cilantro molido, 1 cucharadita de garam masala, el comino, la pasta curry y la leche de coco en un bol, y vierta la mezcla en la cacerola. Remueva bien, deje la cacerola medio tapada y cueza a fuego lento durante 1½ horas. Quite la tapa y siga cociendo 30 minutos más o hasta que la carne esté tierna y la salsa espesa. Si queda demasiado seco, añada un poco de agua. Sirva en platos calientes, esparza el resto del garam masala y el cilantro picado, y acompañe con el sambal de zanahorias.

filetes de vacuno con yogur y especias

para 4 personas

450 g de carne de vacuno cortada
en filetes de 2,5 cm

5 cdas. de yogur

1 cdta. de jengibre fresco bien
picado

1 diente de ajo majado

1 cdta. de guindilla en polvo

1 pizca de cúrcuma molida

2 cdtas. de garam masala (pág. 7)

1 cdta. de sal

2 cardamomos

1 cdta. de semillas de comino negro

50 g de almendras molidas

1 cda. de coco rallado y no dulce

1 cda. de semillas de amapola

1 cda. de semillas de sésamo

300 ml de aceite vegetal

2 cebollas bien picadas

300 ml de agua

PARA DECORAR

2 guindillas verdes frescas

cilantro picado

1 Ponga la carne en un bol grande. Añada el yogur, el jengibre, el ajo, la guindilla en polvo, la cúrcuma, el garam masala, la sal, los cardamomos y las semillas de comino, y mezcle todo bien. Reserve.

2 En una sartén de fondo pesado, tueste las almendras molidas, el coco, las semillas de amapola y las de sésamo hasta que estén dorados, removiendo a menudo para evitar que se quemen.

3 Pase las especias a un robot de cocina y tritúrelas hasta que estén bien molidas. Agregue 1 cucharada de agua si es necesario. Añada las especias a la carne y mezcle bien.

4 Caliente un poco del aceite en una cacerola y fría las cebollas hasta que estén doradas. Sáquelas, añada el resto del aceite y saltee la carne 5 minutos. Luego, vuelva a poner las cebollas en la sartén y saltee de 5 a 7 minutos más. Vierta el agua y cueza a fuego lento, tapado, entre 25 y 30 minutos, removiendo de vez en cuando. Decore con la guindilla verde cortada en tiras y el cilantro, y sirva caliente.

VARIANTE
Puede usar carne de cordero en vez de vacuno, si lo prefiere.

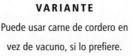

carne de vacuno con especias enteras

para 4 personas

300 ml de aceite vegetal

3 cebollas bien picadas

1 trozo de jengibre fresco de 2,5 cm

4 dientes de ajo cortados en tiras

2 ramas de canela

3 cardamomos verdes

3 clavos de especia

4 granos de pimienta negra

6 guindillas rojas secas

150 g de yogur natural

450 g de carne de vacuno cortada
   en dados

3 guindillas verdes frescas picadas

625 ml de agua

1 Caliente el aceite en una sartén y fría las cebollas hasta que estén doradas.

2 Baje el fuego y añada el jengibre cortado en tiras, el ajo, la canela, los cardamomos verdes, los clavos, la pimienta negra y las guindillas rojas, y saltee todo 5 minutos.

3 Ponga el yogur en un cuenco y bátalo con un tenedor. Luego, mézclelo en la sartén con las cebollas.

4 Incorpore la carne y dos tercios de las guindillas a la sartén y saltee la mezcla entre 5 y 7 minutos.

5 Vierta el agua gradualmente sin dejar de remover, tape y cueza la carne con las especias 1 hora, removiendo y añadiendo agua si es necesario.

6 Cuando esté todo hecho, retire la sartén del fuego y pase la carne y las especias a una fuente. Decore con el resto de la guindilla picada y sirva.

VARIANTE

Sustituya las guindillas rojas por verdes, si lo prefiere.

vindaloo clásico

para 6 personas

150 ml de vinagre de malta

2 cdas. de semillas de cilantro

1 cda. de semillas de comino

2 cdtas. de guindilla en polvo

2 cdtas. de cúrcuma molida

1 cdta. de semillas de cardamomo

1 trozo de jengibre fresco de 5 cm

4 dientes de ajo troceados

6 granos de pimienta negra

6 clavos de especia enteros

1 rama de canela

sal

1 kg de solomillo de cerdo cortado
en dados

6 hojas de curry

3 cdas. de ghee o aceite vegetal

1 cdta. de granos de mostaza negra

150 ml de agua

arroz recién hecho, para acompañar

VARIANTE

Sirva el plato con arroz amarillo:
disuelva una pizca de cúrcuma
molida en una cucharada de
agua hirviendo y añádasela
al arroz hervido.

1 Ponga el vinagre, el cilantro, el comino, la guindilla en polvo, la cúrcuma, el cardamomo, el jengibre troceado, el ajo, la pimienta, los clavos, la canela y una pizca de sal en un robot de cocina y triture hasta obtener una pasta homogénea. Añada vinagre si es necesario. Coloque la carne en una fuente llana y no metálica, y vierta la pasta de especias por encima, impregnando bien la carne. Tape con film transparente y deje adobar 1 hora en el frigorífico. Luego, ponga las hojas de curry encima de la carne, vuelva a tapar y deje en adobo 8 horas o toda la noche.

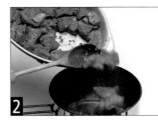

2 Caliente el ghee en una cacerola de fondo pesado y tueste en ella los granos de mostaza a fuego lento, removiendo bastante, hasta que empiecen a chisporrotear y a desprender su aroma. Añada el cerdo adobado y el agua, y lleve todo a ebullición. Sin dejar de remover, baje el fuego y cueza, tapado, 30 minutos.

3 Retire la tapa y remueva el curry. Siga cociendo 30 minutos más o hasta que la carne esté tierna. Sirva en platos calientes acompañado de arroz.

NOTA

Saque la carne adobada del
frigorífico 30 minutos antes
de cocinarla para que se ponga
a temperatura ambiente.

pollo tikka

para 6 personas

1 cdta. de jengibre fresco bien
   picado

1 diente de ajo majado

½ cdta. de cilantro molido

½ cdta. de comino molido

1 cdta. de guindilla en polvo

3 cdas. de yogur natural

1 cdta. de sal

2 cdas. de zumo de limón

varias gotas de colorante alimentario
   rojo (opcional)

1 cda. de tomate concentrado

1,5 kg de pechugas de pollo
   deshuesadas y sin piel

1 cebolla cortada en rodajas

3 cdas. de aceite vegetal

6 hojas de lechuga

1 limón cortado en cuñas,
   para decorar

1 En un bol grande, mezcle el jengibre, el ajo, el cilantro, el comino y la guindilla en polvo.

2 Añada el yogur, la sal, el zumo de limón, el colorante y el tomate concentrado.

3 Con un cuchillo afilado, trocee el pollo y añádalo a la mezcla de especias, removiéndolo bastante para que se impregne bien. Déjelo adobar en el frigorífico 3 horas, o toda la noche si es posible.

4 Precaliente el grill. Coloque las rodajas de cebolla en la base de una fuente refractaria y rocíelas con la mitad del aceite.

5 Coloque los trozos de pollo adobado encima de las cebollas, introduzca la fuente en el horno y ase bajo el grill entre 25 y 30 minutos. Dele la vuelta una vez al pollo y rocíelo con el resto del aceite.

6 Sirva el pollo tikka sobre un lecho de lechuga y decore con las cuñas de limón.

NOTA

El pollo tikka puede servirse con pan naan (pág. 177), raita (pág. 222) y chutney de mango (pág. 226), o como aperitivo.

pollo con espinacas

para 4 personas

225 g de espinacas frescas

1 guindilla verde fresca sin pepitas
   y picada

1 cda. de jengibre fresco picado

2 dientes de ajo majados

4 cdas. de agua

2 cdas. de ghee o aceite vegetal

8 granos de pimienta negra

1 hoja de laurel

1 cebolla bien picada

240 g de tomates en conserva
   escurridos

1 cdta. de guindilla en polvo

1 cda. de pasta curry (pág. 7)

sal

150 ml de caldo de pollo o agua

4 cdas. de yogur natural, y un poco
   más para decorar

8 muslos de pollo sin piel

1 Enjuague las espinacas y, sin escurrirlas, póngalas en una cacerola grande. Tápelas y cuézalas entre 4 y 5 minutos o hasta que queden lacias. Páselas a un robot de cocina, añada la guindilla verde, el jengibre, el ajo y el agua, y triture hasta obtener una mezcla homogénea.

2 Caliente el ghee en un karahi o una sartén y saltee la pimienta y el laurel, a fuego lento y sin dejar de remover, entre 1 y 2 minutos o hasta que desprendan su aroma. Añada la cebolla y siga salteando y removiendo durante 10 minutos o hasta que esté dorada. Añada los tomates y saltee 2 minutos más mientras los desmenuza con una cuchara de madera. Añada la guindilla en polvo y la pasta curry, y sazone con sal al gusto. Saltee y remueva 2 minutos más.

3 Añada las espinacas y el puré de guindillas con el caldo, y cueza 5 minutos. Incorpore el yogur a cucharadas, removiendo después de cada adición, y cueza 5 minutos más. Al final, agregue el pollo, remuévalo bien, tape la sartén y cueza 30 minutos o hasta que la carne esté tierna y hecha. Sirva inmediatamente decorado con el yogur extra.

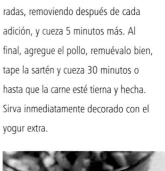

pollo masala

para 4 personas

150 g de yogur natural

4 cdas. de zumo de limón

2 cdas. de aceite de maíz

2 cdtas. de garam masala (pág. 7)

2 cdtas. de comino molido

1 cdta. de jengibre fresco picado

1 cdta. de ajo molido

8 muslos de pollo deshuesados
  y sin piel

1 cdta. de extracto seco de fenogreco

2 cdtas. de amchoor
  (mango seco en polvo)

1 cdta. de hierbabuena seca

ramitas de cilantro, para decorar

PARA SERVIR

cuñas de tomate

pappadams

NOTA

El ajo fresco aporta un toque delicioso, sobre todo a los currys picantes. Guarde los bulbos de ajo en un lugar fresco y oscuro, y verá que duran hasta 6 meses.

1 En un bol, mezcle el yogur, el zumo de limón, el aceite, el garam masala, el comino, el jengibre, el ajo y 1 pizca de sal. Coloque los muslos de pollo en un recipiente refractario grande y llano, y vierta el yogur por encima, removiendo bastante para que la carne se impregne bien. Tape con film transparente y deje adobar en el frigorífico toda la noche.

2 Precaliente el horno a 190°C. Retire el film del recipiente, tápelo con papel de aluminio y póngalo en el horno 45 minutos para que el pollo se cueza en su adobo. Sáquelo del recipiente con una espumadera, corte la carne en dados sobre una tabla de madera y repártala por la superficie de una bandeja de horno.

3 Añada el fenogreco, el amchoor y la hierbabuena al adobo, viértalo por encima del pollo y vuelva a meter todo en el horno 10 minutos más. Páselo a platos calientes, decore con cilantro y sirva con cuñas de tomate y pappadams.

pollo picante asado

para 4 personas

50 g de almendras molidas

50 g de coco rallado y no dulce

150 ml de aceite vegetal

1 cebolla bien picada

1 cdta. de jengibre fresco picado

1 diente de ajo majado

1 cdta. de guindilla en polvo

1½ cdtas. de garam masala (pág. 7)

1 cdta. de sal

150 g de yogur natural

4 cuartos de pollo sin piel

hojas de ensalada, para acompañar

PARA DECORAR

cilantro picado

1 limón cortado en cuñas

1 Precaliente el horno a 160°C. Tueste las almendras y el coco en una sartén de fondo pesado, y reserve.

2 Caliente el aceite en una sartén y fría la cebolla, removiendo, hasta que esté dorada.

3 Ponga el jengibre, el ajo, la guindilla en polvo, el garam masala y la sal en un bol, y mezcle todo con el yogur. Añada las almendras y el coco reservados y mezcle bien.

4 Incorpore la cebolla a la mezcla de especias, remueva bien y reserve.

5 Disponga los cuartos de pollo en la base de una fuente refractaria grande y, con una cuchara, vierta poco a poco la mezcla de especias por encima.

6 Ase el pollo en el horno entre 35 y 45 minutos. Compruebe si está bien hecho pinchando la parte más gruesa con un cuchillo o una brocheta: cuando está bien hecha, los jugos de la carne son claros. Decore con el cilantro y las cuñas de limón, y sirva acompañado de ensalada verde.

NOTA

Para que el plato quede más picante y especiado, añada más guindilla en polvo y garam masala.

dhansak de pollo

para 6 personas

110 g de chana dal

110 g de moong dal

110 g de toor dal

110 g de masoor dal

125 ml de aceite vegetal

2 cdtas. de pasta de ajo (pág. 7)

2 cdtas. de pasta de jengibre (pág. 7)

6 porciones de pollo

500 g de tomates en conserva,
    escurridos

250 g de calabaza pelada, en dados

3 cebollas picadas

115 g de espinacas frescas picadas

1 berenjena cortada en dados

1 cda. de hierbabuena fresca picada
sal

2 guindillas verdes frescas picadas

1½ cdtas. de cúrcuma molida

1 cdta. de cilantro molido

½ cdta. de cardamomo molido

½ cdta. de canela molida

½ cdta. de clavos de especia molidos

½ cdta. de guindilla en polvo

2 cdas. de cilantro picado,
    para decorar

1 Ponga las dal en una cacerola grande y cúbralas con agua. Llévelas a ebullición, baje el fuego y hierva, tapado, 40 minutos. Caliente 3 cucharadas del aceite en una sartén y saltee la mitad de las pastas de ajo y de jengibre durante 1 minuto, sin dejar de remover. Añada el pollo, saltéelo hasta que esté dorado y agréguelo a las dal.

2 Añada los tomates escurridos, la calabaza, dos tercios de la cebolla, las espinacas, la berenjena, la hierbabuena y la sal. Lleve a ebullición, tape y cueza unos 45 minutos. Pase el pollo a una fuente y triture las dal hasta conseguir un puré homogéneo.

3 Caliente el resto del aceite en una cacerola limpia y sofría el resto de la cebolla durante 10 minutos o hasta que esté dorada. Añada las guindillas y el resto de las pastas de ajo y jengibre, y saltee removiendo 2 minutos más. Añada el resto de las especias y saltee otros 6 minutos, añadiendo agua si ve que la mezcla se queda muy seca. Incorpore el puré de las dal, mézclelo bien, tape la cacerola y cueza 20 minutos. Añada las porciones de pollo y siga cociendo 20 minutos más. Decore con cilantro picado y sirva.

muslos de pollo con hierbas y especias

para 4 personas

8 muslos de pollo

1½ cdtas. de jengibre fresco bien picado

1-2 dientes de ajo majados

1 cdta. de sal

2 cebollas picadas

½ ramito grande de cilantro fresco

4-6 guindillas verdes frescas picadas

625 ml de aceite vegetal

4 tomates firmes cortados en cuñas

2 pimientos verdes grandes sin pepitas y cortados en trozos grandes

1 Con un cuchillo afilado, haga 2 o 3 cortes en cada muslo de pollo. Únteles el jengibre, el ajo y la sal por encima y reserve.

2 Ponga la mitad de la cebolla picada, el cilantro picado y las guindillas en un mortero, y májelo todo bien hasta obtener una pasta homogénea. Luego, unte los muslos de pollo con esta pasta.

3 Caliente el aceite en un karahi o sartén grande de fondo pesado y fría el resto de la cebolla picada hasta que esté dorada. Sáquela de la sartén con una espumadera y reserve.

4 Baje el fuego y fría los muslos a fuego medio, por tandas si es necesario, hasta que estén hechos por dentro (unos 10 minutos por tanda).

5 Cuando todos los muslos estén hechos, sáquelos de la sartén y manténgalos calientes.

6 Ponga en la sartén los tomates y los pimientos, y saltéelos hasta que estén tiernos pero aún firmes.

7 Coloque los pimientos y los tomates en una bandeja y disponga los muslos de pollo encima. Decore con las cebollas fritas reservadas.

pollo a la pimienta negra

para 4-6 personas

8 muslos de pollo

1 cdta. de jengibre fresco bien
    picado

1 diente de ajo majado

1 cdta. de sal

1½ cdtas. de pimienta molida gruesa

150 ml de aceite vegetal

1 pimiento verde sin pepitas y
    cortado en tiras

150 ml de agua

2 cdas. de zumo de limón

SALTEADO DE MAÍZ Y GUISANTES

50 g de mantequilla

200 g de maíz congelado

200 g de guisantes congelados

½ cdta. de sal

½ cdta. de guindilla en polvo

1 cda. de zumo de limón

cilantro picado, para decorar

1 Si prefiere el pollo sin hueso,
deshuéselo con un cuchillo afilado.

2 Mezcle el jengibre, el ajo, la sal
y la pimienta en un bol pequeño.

3 Ponga los muslos de pollo en el bol
con la mezcla anterior y reserve.

4 Caliente el aceite en una sartén
grande y fría los muslos de pollo
durante 10 minutos.

5 Baje el fuego y agregue el
pimiento verde y el agua. Deje
que hierva todo durante 10 minutos
y rocíe por encima el zumo de limón.

6 Mientras, prepare el salteado de
maíz y guisantes. Funda la mantequilla en otra sartén grande, añada el
maíz y los guisantes, y saltéelos remo-
viéndolos de vez en cuando durante
10 minutos. Añada la sal y la guindilla
en polvo, y siga salteando 5 minutos
más.

7 Rocíe el zumo de limón por
encima del maíz y los guisantes,
y decore con cilantro.

8 Al final, disponga el pollo con
la mezcla de especias en platos
calientes y sirva inmediatamente
acompañado del salteado de maíz
y guisantes.

pollo jalfrezi

para 4 personas

1 cdta. de aceite de mostaza

3 cdas. de aceite vegetal

1 cebolla grande bien picada

3 dientes de ajo majados

1 cda. de concentrado de tomate

2 tomates pelados y picados

1 cdta. de cúrcuma molida

½ cdta. de semillas de comino
molidas

½ cdta. de semillas de cilantro
molidas

½ cdta. de guindilla en polvo

½ cdta. de garam masala (pág. 7)

1 cdta. de vinagre de vino tinto

1 pimiento rojo pequeño sin pepitas
y picado

160 g de habas congeladas

500 g de pechugas de pollo cocidas
y cortadas en dados

sal

ramitas de cilantro, para decorar

arroz recién hecho, para acompañar

1 Caliente el aceite de mostaza en una sartén grande a fuego vivo durante 1 minuto hasta que empiece a echar humo. Añada el aceite vegetal, baje el fuego, agregue la cebolla y el ajo, y saltee hasta que estén dorados.

2 Añada el concentrado de tomate, los tomates picados, la cúrcuma, el comino, el cilantro, la guindilla en polvo, el garam masala y el vinagre, y mezcle todo bien hasta que desprendan su aroma.

3 Añada el pimiento rojo y las habas, y siga salteando 2 minutos o hasta que el pimiento esté tierno. Agregue el pollo y sazone con sal al gusto. Hierva a fuego lento entre 6 y 8 minutos o hasta que el pollo esté bien hecho y las habas tiernas.

4 Disponga en platos calientes, decore con ramitas de cilantro y sirva acompañado de arroz.

NOTA

Este plato es ideal para aprovechar las sobras de recetas de aves de granja o de caza, como pavos, patos o codornices. Sirve cualquier tipo de habas o alubias, pero pueden sustituirse por hortalizas de raíz, calabacines, patatas o brécol. Las verduras de hoja no le van tan bien.

pollo con cebollas

para 4 personas

300 ml de aceite vegetal

4 cebollas bien picadas

1½ cdtas. de jengibre fresco bien picado

1½ cdtas. de garam masala (pág. 7)

1 diente de ajo majado

1 cdta. de guindilla en polvo

1 cdta. de cilantro molido

3 cardamomos verdes

3 granos de pimienta negra

3 cdas. de concentrado de tomate

8 muslos de pollo sin piel

300 ml de agua

2 cdas. de zumo de limón

1 guindilla verde fresca bien picada

¼ ramito de cilantro picado

1 guindilla verde fresca cortada en tiras, para decorar

1 Caliente el aceite en una sartén grande y fría las cebollas, sin dejar de remover, hasta que estén doradas.

2 Baje el fuego y añada el jengibre, el garam masala, el ajo, la guindilla, el cilantro molido, los cardamomos y la pimienta, y mezcle todo bien.

3 Añada el concentrado de tomate y saltee entre 5 y 7 minutos.

4 Incorpore los muslos de pollo y remueva bien para que se impregnen de las especias.

5 Vierta el agua en la sartén, tape y hierva entre 20 y 25 minutos.

6 Añada el zumo de limón, la guindilla verde y el cilantro, y remueva hasta obtener una mezcla homogénea.

7 Disponga el pollo y las cebollas en los platos y decore con las tiras de guindilla verde fresca. Sirva caliente.

pollo khorma

para 8 personas

1½ cdtas. de jengibre fresco bien
  picado

1-2 dientes de ajo majados

2 cdtas. de garam masala (pág. 7)

1 cdta. de guindilla en polvo

1 cdta. de sal

1 cdta. de semillas de comino negro

3 cardamomos verdes sin vaina y
  con las semillas picadas

1 cdta. de cilantro molido

1 cdta. de almendras molidas

150 g de yogur natural

8 pechugas deshuesadas y sin piel

300 ml de aceite vegetal

2 cebollas cortadas en rodajas

150 ml de agua

¼ ramito de cilantro picado

2 guindillas verdes frescas picadas

arroz recién hecho, para acompañar

1 Mezcle el jengibre, el ajo, el garam masala, la guindilla en polvo, el comino, los cardamomos, el cilantro, las almendras, la sal y el yogur en un bol.

2 Ponga las pechugas de pollo en un plato y viértales por encima la mezcla anterior procurando que se empapen bien. Resérvelas.

3 Caliente el aceite en una sartén grande y fría las cebollas hasta que estén doradas.

4 Ponga las pechugas de pollo en la sartén y saltéelas 5 o 7 minutos.

5 Añada el agua, tape y hierva entre 20 y 25 minutos.

6 Agregue el cilantro y las guindillas, y cueza 10 minutos más, removiendo de vez en cuando y con cuidado.

7 Pase el pollo a platos calientes y sirva con arroz recién hecho.

pollo al estilo tandoori

para 4 personas

8 muslos de pollo sin piel

150 g de yogur natural

1½ cdtas. de jengibre fresco picado

1-2 dientes de ajo majados

1 cdta. de guindilla en polvo

2 cdtas. de comino molido

2 cdtas. de cilantro molido

1 cdta. de sal

½ cdta. de colorante alimentario rojo
   (opcional)

1 cda. de pasta de tamarindo

150 ml de agua

150 ml de aceite vegetal, para rociar

hojas de lechuga

pan naan (pág. 177),
   para acompañar

PARA DECORAR

aros de cebolla

1 limón cortado en cuñas

1 Con un cuchillo afilado, haga 2 o 3 cortes en cada muslo de pollo. Ponga el yogur en un bol grande y añada el jengibre, el ajo, la guindilla en polvo, el comino, el cilantro, la sal y el colorante, y mezcle todo bien.

2 Sumerja el pollo en el bol y remueva bien para que se impregne de yogur y especias. Luego, métalo en el frigorífico y déjelo en adobo como mínimo 3 horas.

3 Mezcle la pasta de tamarindo y el agua en un bol aparte, una esta mezcla a la de yogur y especias, e impregne de nuevo los muslos. Luego, déjelos en adobo en el frigorífico 3 horas más.

NOTA

Antes de servir el pollo, compruebe que la carne esté tierna y bien hecha. Un raita, como el raita de menta (pág. 222), es el complemento perfecto para este plato.

4 Precaliente el grill a fuego medio. Ponga los muslos en una bandeja refractaria y rocíelos con un poco de aceite. Áselos entre 30 y 35 minutos, dándoles la vuelta y rociándolos con su propio jugo varias veces.

5 Disponga el pollo sobre un lecho de lechuga y decore con aros de cebolla y cuñas de limón. Sirva acompañado de pan naan.

pollo dopiaza

para 4 personas

3 cdas. de ghee o aceite vegetal

8 cebollitas o chalotes

3 guindillas rojas secas

6 cardamomos

6 granos de pimienta negra

2 clavos de especia enteros

2 hojas de laurel

2 cebollas bien picadas

1 cdta. de pasta de ajo (pág. 7)

1 cdta. de pasta de jengibre (pág. 7)

1 cdta. de comino molido

1 cdta. de cilantro molido

1 cdta. de guindilla en polvo

½ cdta. de cúrcuma molida

240 g de tomates en conserva

4 cdas. de agua

8 muslos de pollo sin piel

hojas de cilantro, para decorar

arroz recién hecho, para acompañar

1 Caliente 2 cucharadas de ghee en un cazo grande de fondo pesado o en una cacerola refractaria, y fría las cebollitas, cortadas por la mitad, a fuego lento y removiendo de vez en cuando durante 10 minutos o hasta que estén doradas. Sáquelas con una espumadera y reserve.

2 Añada el resto del ghee y saltee las guindillas, los cardamomos, la pimienta, los clavos y el laurel durante 2 minutos o hasta que desprendan su aroma. Añada las cebollas picadas y siga salteando 5 minutos más o hasta que estén tiernas.

3 Agregue la pasta de ajo, la de jengibre, el comino, el cilantro, la guindilla en polvo y la cúrcuma, y saltee 2 minutos más sin dejar de remover. Añada los tomates con su jugo y el agua. Mezcle todo bien y cueza 5 minutos o hasta que espese un poco.

4 Añada los muslos de pollo y cueza 20 minutos. Vuelva a poner las cebollitas en el cazo y siga cociendo otros 10 minutos o hasta que el pollo esté tierno y bien hecho por dentro. Sirva inmediatamente acompañado de arroz y decorado con hojas de cilantro.

VARIANTE

En vez de los 8 muslos de pollo sin piel, puede usar 4 piezas grandes de pollo, pero en ese caso, aumente el tiempo de cocción en 15 minutos.

NOTA

Este plato puede prepararse con un día de antelación. Si lo hace, déjelo enfriar, tápelo bien y guárdelo en el frigorífico, pero no lo congele.

hamburguesas de pollo

para 6-8 personas

1,5 kg de pollo deshuesado

½ cdta. de comino molido

4 semillas de cardamomo majadas

½ cdta. de canela molida

1 cdta. de sal

1 cdta. de jengibre fresco bien
   picado

1 diente de ajo majado

½ cdta. de pimienta de Jamaica
   molida

½ cdta. de pimienta

300 ml de agua

2 cdas. de yogur natural

2 guindillas verdes frescas

1 cebolla pequeña picada

½ ramito de cilantro picado

1 huevo batido

300 ml de aceite vegetal

1 limón en cuñas, para decorar

1 Ponga el pollo en una sartén
grande. Añada el comino, el
cardamomo, la canela, la sal, el jengibre, el ajo y las dos pimientas, y vierta
el agua al final. Lleve todo a ebullición
y déjelo hirviendo hasta que se haya
embebido toda el agua.

2 Coloque la mezcla en un robot de
cocina y triture bien hasta obtener
una pasta homogénea. Pase la pasta a
un bol grande, añada el yogur y mezcle
todo bien.

3 Meta las guindillas, la cebolla y
el cilantro en el robot de cocina
y píquelo todo bien. Agregue la mezcla
a la de pollo y remueva bien. Añada
el huevo batido y mezcle bien.

4 Con las manos húmedas, haga
12 porciones y amase 12 círculos
pequeños y planos.

5 Caliente el aceite en una sartén y
fría las hamburguesas a fuego lento
(deles la vuelta sólo una vez). Escúrralas
sobre papel de cocina y sírvalas calientes
y decoradas con las cuñas de limón.

NOTA

Estas hamburguesas se pueden
acompañar de un dal, como el dal
con cebollas (pág. 158), de ensalada
verde o chapatis (pág. 185).

pollo a la mantequilla

para 4-6 personas

150 g de mantequilla

1 cda. de aceite vegetal

2 cebollas bien picadas

1 cdta. de jengibre fresco bien
    picado

2 cdtas. de qaram masala (páq. 7)

2 cdtas. de cilantro molido

1 cdta. de guindilla en polvo

1 cdta. de semillas de comino negro

1 diente de ajo majado

1 cdta. de sal

3 cardamomos verdes

3 granos de pimienta negra

150 g de yogur natural

2 cdas. de concentrado de tomate

8 piezas de pollo sin piel

150 ml de agua

2 hojas de laurel

150 g de nata líquida ligera

PARA DECORAR

cilantro picado

2 guindillas verdes frescas picadas

1 Caliente la mantequilla y el aceite en una sartén grande, y fría las cebollas hasta que estén doradas, sin dejar de remover. Baje el fuego.

2 Ponga el jengibre en un bol, añada el garam masala, el cilantro, la guindilla en polvo, las semillas de comino, el ajo, la sal, los cardamomos y la pimienta, y mezcle todo bien. Agregue, luego, el yogur y el concentrado de tomate, y siga mezclando.

3 Añada las piezas de pollo a la mezcla anterior y remueva para que se impregnen bien.

4 Ponga el pollo en la sartén con las cebollas y saltee todo, removiendo vigorosamente en semicírculos, entre 5 y 7 minutos.

5 Añada el agua y las hojas de laurel, y cueza 30 minutos sin dejar de remover.

6 Agregue la nata líquida y siga cociendo entre 10 y 15 minutos más. Sirva decorado con el cilantro y las guindillas verdes.

curry de pato

para 4 personas

1 trozo de jengibre fresco de 5 cm

3 cebollas

625 ml de caldo de pollo

3 dientes de ajo bien picados

4 clavos de especia enteros

sal

4 cdas. de ghee o aceite vegetal

1 cdta. de cayena

2 cdtas. de semillas de cilantro
ligeramente majadas

2,7 kg de pato cortado en porciones

1 pizca de hebras de azafrán

120 g de almendras molidas

300 g de nata líquida

1 cdta. de semillas de cardamomo
ligeramente majadas

1 Precaliente el horno a 150°C. Pique bien el jengibre y reserve. Corte 1 cebolla por la mitad y pique bien las otras. Ponga el caldo en una cacerola grande de fondo pesado, añada las mitades de cebolla, el jengibre, el ajo, los clavos y 1 pizca de sal, y lleve a ebullición. Hierva hasta que se evapore la mitad del líquido, cuélelo en un bol y reserve. Deseche los restos que queden en el colador.

2 Caliente el ghee en una cacerola refractaria y sofría las cebollas picadas 10 minutos o hasta que estén doradas. Agregue la cayena y el cilantro, y sofría 1 minuto más o hasta que desprendan su aroma. Añada el pato y siga sofriendo, dándole la vuelta varias veces, hasta que la carne esté dorada por todos lados. Añada el caldo reservado y la sal, y lleve a ebullición. Luego, baje el fuego, tape y cueza 20 minutos.

3 Ponga el azafrán en un bol, cúbralo con agua hirviendo y deje 10 minutos en remojo. Mezcle las almendras, la nata y el cardamomo, y agréguelo al azafrán. Pase todo a la cacerola y mezcle bien. Meta la cacerola en el horno y ase durante 20 minutos o hasta que el pato esté tierno. Sirva inmediatamente.

NOTA

Lo ideal es usar caldo casero, pero si tiene que usar un cubito de caldo, no añada sal en el paso 1, porque los cubitos suelen ser ya bastante salados.

pato al estilo sureño

para 4 personas

2 cdtas. de semillas de comino

2 cdtas. de semillas de cilantro

1 cdta. de semillas de cardamomo

2 cdtas. de garam masala
  (pág. 7)

1 cdta. de guindilla en polvo

½ cdta. de cúrcuma molida

sal

6 pechugas de pato deshuesadas

2 dientes de ajo bien picados

2 cebollas cortadas en rodajas

950 ml de leche de coco

125 ml de vinagre de vino blanco

180 ml de agua

2 cdas. de cilantro picado

NOTA

Con un cuchillo afilado, deseche el exceso de grasa de las pechugas de pato antes de cocinarlas, pero no les quite la piel.

1 Ponga el comino, el cilantro, el cardamomo, el garam masala, la guindilla y la cúrcuma en un mortero o molinillo de especias con 1 pizca de sal, muela todo muy fino y reserve.

2 Ponga las pechugas de pato, con la parte de la piel hacia abajo, en una sartén grande de fondo pesado, y fríalas a fuego medio durante 10 minutos o hasta que la piel esté dorada. Deles la vuelta y fríalas 6 u 8 minutos más o hasta que estén doradas por debajo. Sáquelas de la sartén y déjelas escurrir sobre papel de cocina.

3 Escurra todo menos 1 cucharada de grasa de la sartén y vuélvala a poner al fuego. Añada el ajo y las cebollas, y saltéelas, removiendo de vez en cuando, 8 minutos o hasta que estén dorados. Agregue la mezcla de especias molidas y siga salteando y removiendo 2 minutos, o hasta que las especias desprendan su aroma.

4 Ponga el pato de nuevo en la sartén y agregue la leche de coco, el vinagre y el agua. Lleve el guiso a ebullición, baje el fuego y cueza, tapado, entre 40 y 45 minutos o hasta que la carne esté tierna. Corrija de sal si es necesario. Al final, añada el cilantro picado y sirva inmediatamente.

Pescados y mariscos

El pescado es uno de los ingredientes más versátiles. Su sabor resulta igualmente apetitoso en currys picantes, en guisos cremosos o en fragantes kebabs. Este capítulo incluye sabrosas recetas de pescado, de agua dulce y salada, y multitud de maneras creativas de preparar las gambas.

El pescado es un alimento muy común en el sur y en el oeste de la India, donde abundan las recetas tradicionales, como el delicioso plato sureño Pescado en salsa de coco (pág. 98) o el Pescado asado con coco y cilantro (pág. 100), que es un plato parsi clásico de la costa oeste. La forma más usual de guisarlo es envuelto en hojas de banana, a la venta en tiendas de comida asiática, pero también se puede usar papel parafinado.

pescado rebozado en besan

para 4-6 personas

100 g de besan
1 cdta. de jengibre fresco bien
   picado
1 diente de ajo majado
2 cdtas. de guindilla en polvo
1 cdta. de sal
½ cdta. de cúrcuma molida
2 guindillas verdes frescas picadas
¼ de ramito de cilantro picado
300 ml de agua
1 kg de filetes de bacalao sin piel
300 ml de aceite
arroz recién hecho, para acompañar
PARA DECORAR
2 limones cortados en cuñas
3 guindillas verdes frescas

NOTA

Con el besan (harina de
garbanzos) y el chana dal
(harina de lentejas) se hacen las
pakoras (pág. 190) y también se
envuelven los kebabs. Si mezcla
besan y harina de trigo integral
obtendrá un sabroso pan de
garbanzos (pág. 182).

1 Coloque el besan en un cuenco grande, añada el jengibre, el ajo, la guindilla en polvo, la sal y la cúrcuma, y mézclelo todo bien.

2 Agregue la guindilla verde picada y el cilantro, y remueva bien.

3 Vierta el agua, siga removiendo hasta que se forme una pasta homogénea y reserve.

4 Con un cuchillo afilado, corte el bacalao en 10 o 12 trozos.

5 Pase los trozos de pescado por la mezcla procurando que se impregnen bien pero sin que goteen.

6 Caliente el aceite en una sartén de fondo pesado. Añada por tandas el bacalao rebozado y fríalo a fuego medio, dándole una vez la vuelta, hasta que esté bien hecho por dentro y dorado por fuera.

7 Coloque el pescado en una bandeja y decore con el limón y las guindillas verdes frescas cortadas a tiras. Sirva con arroz recién hecho.

pescado en salsa de tomate

para 4-6 personas

500 g de tomates

4 guindillas verdes frescas

1 kg de filetes de abadejo sin piel

sal

2 cdtas. de cúrcuma molida

4 cdas. de ghee o aceite vegetal

2 cebollas cortadas en rodajas

1 cda. de cilantro molido

2 cdtas. de garam masala (pág. 7)

1 cdta. de guindilla en polvo

1 cdta. de azúcar

2 cdas. de yogur natural

1 cda. de zumo de limón

ramitas de cilantro, para decorar

arroz pilaf (pág. 166),

    para acompañar

1 Pele los tomates, retire las pepitas y resérvelos. Con un cuchillo afilado, corte las guindillas a lo largo, quíteles las pepitas y resérvelas. Limpie el pescado de espinas y córtelo en trozos grandes. Mezcle 1 cucharadita de sal y 1 cucharadita y media de cúrcuma en un cuenco, y reboce bien el pescado en la mezcla.

2 Caliente el ghee en una sartén grande. Agregue el pescado, por tandas, y fríalo a fuego medio, removiendo bastante, hasta que esté bien dorado. Retírelo con una espumadera y reserve. Ponga las cebollas en la sartén, baje el fuego y saltéelas durante 10 minutos o hasta que estén doradas.

3 Agregue el resto de la cúrcuma, el cilantro, el garam masala, la guindilla en polvo y el azúcar, y saltee 2 minutos más sin dejar de remover. Suba el fuego y añada los tomates, el yogur, el limón y las guindillas reservadas. Llévelo todo a ebullición, baje el fuego y hierva 15 minutos.

4 Vuelva a poner el pescado en la sartén y remueva con cuidado para que se impregne bien de salsa. Deje hervir 10 minutos más o hasta que esté bien hecho. Corrija de sal y pimienta, decore con las ramitas de cilantro y sirva con el arroz pilaf.

pescado al estilo punjabí

para 4 personas

2 cdas. de ghee o aceite vegetal

2 cebollas cortadas en aros

1 cdta. de pasta de ajo (pág. 7)

1 cdta. de pasta de jengibre
(pág. 7)

1 cda. de comino molido

2 cdtas. de cilantro molido

1 cdta. de garam masala (pág. 7)

½ cdta. de canela molida

½ cdta. de cayena

4 cardamomos ligeramente
picados

1 kg de tomates en conserva

125 g de nata líquida ligera

1 cda. de zumo de limón

800 g de bacalao, sin piel y cortado
en filetes de 4 cm

cilantro picado, para decorar

arroz recién hecho, para acompañar

1 Caliente el ghee en un cazo. Añada las cebollas y hágalas a fuego lento 10 minutos o hasta que estén doradas. Agregue las pastas de ajo y jengibre, el comino, el cilantro, el garam masala, la canela, la cayena, el cardamomo y 1 pizca de sal, y saltee todo, sin dejar de remover, 2 minutos o hasta que las especias desprendan su aroma.

2 Añada los tomates y su jugo, la nata y el zumo de limón. Cueza 5 minutos o hasta que espese ligeramente removiendo de vez en cuando. No deje que rompa a hervir.

3 Agregue el pescado, tape el cazo y cueza a fuego lento 10 minutos o hasta que esté tierno. Sirva en platos calientes, decore con cilantro por encima y acompañe con arroz.

NOTA

Es importante que la salsa no rompa a hervir en el paso 2, porque la nata ligera tiende a cortarse al calentarla, sobre todo con ingredientes ácidos como el zumo de limón.

VARIANTE

Puede usar cualquier pescado blanco de carne firme, como rape o abadejo.

truchas fritas al jengibre

para 4 personas

1 cdta. de pasta de jengibre (pág. 7)

1 cdta. de pasta de ajo (pág. 7)

2 guindillas verdes frescas
   sin pepitas y bien picadas

1 cda. de cilantro picado

¼ cdta. de cúrcuma molida

sal y pimienta

4 truchas limpias y sin espinas

aceite vegetal, para untar

PARA DECORAR

ramitas de cilantro

rodajas de lima

1 Precaliente el grill a fuego medio. En un cuenco, mezcle las pastas de jengibre y ajo, las guindillas, el cilantro, la cúrcuma, 1 cucharadita de pimienta y 1 pizca de sal, y añada agua hasta obtener una pasta homogénea.

2 Con un cuchillo afilado, haga 2 o 3 cortes en cada trucha por ambos lados. Úntelas con la pasta y procure cubrir bien los cortes.

3 Úntelas luego con aceite y déjelas 15 minutos en el grill. Deles la vuelta una vez y unte el revés con más aceite. Sirva inmediatamente en platos calientes y decore con ramitas de cilantro y rodajas de lima.

NOTA

El cilantro es una especia muy usada en la cocina india y aporta un sabor muy característico a los platos. Pique bien tanto los tallos como las hojas.

pescado al estilo bengalí

para 4-6 personas

1 cdta. de cúrcuma molida

1 cdta. de sal

1 kg de filetes de bacalao sin piel
   y cortados en trozos

6 cdas. de aceite de maíz

4 guindillas verdes frescas

1 cdta. de jengibre fresco bien
   picado

1 diente de ajo majado

2 cebollas bien picadas

2 tomates bien picados

6 cdas. de aceite de mostaza

450 ml de agua

cilantro picado, para decorar

pan naan (pág. 177),
   para acompañar

NOTA

La planta de la mostaza crece en
las llanuras calurosas y húmedas
de Bengala. De ella se obtienen
aceite y semillas aromáticas para
cocinar. Muchos de los guisos de
pescado y marisco suelen usar
aceite de mostaza para
enriquecer su sabor.

1 Mezcle la cúrcuma y la sal en un cuenco pequeño.

2 Con una cuchara, unte un poco de mezcla en cada trozo de pescado.

3 Caliente el aceite de maíz en una sartén. Añada el pescado y fríalo hasta que se ponga amarillo. Sáquelo con una espumadera y resérvelo.

4 En un mortero, mezcle las guindillas, el jengibre, el ajo, las cebollas, los tomates y el aceite de mostaza, y maje todo bien hasta formar una pasta homogénea. Si lo prefiere, utilice un robot de cocina.

5 Pase la pasta de especias a una sartén y tuéstela hasta que se dore.

6 Retire la sartén del fuego e introduzca los trozos de pescado en la pasta, con cuidado de que no se desmenucen.

7 Ponga de nuevo la sartén al fuego, añada el agua poco a poco y, sin tapar, cueza el pescado a fuego medio entre 15 y 20 minutos.

8 Decore con el cilantro picado y sirva acompañado de pan naan.

fritada de pescado

para 6 personas

8 filetes de pargo rojo

sal y pimienta

125 ml de zumo de limón

aceite vegetal abundante, para freír

2 limas en cuñas, para decorar

PASTA DE ESPECIAS

75 g de besan

2 cdas. de harina de arroz

1 cdta. de guindilla en polvo

1 cdta. de cúrcuma molida

125 ml de agua

1 Corte los filetes de pargo por la mitad y sazónelos al gusto con sal y pimienta. Páselos a un recipiente no metálico grande y hondo, y rocíe por encima el zumo de limón. Tápelos con film transparente y déjelos marinar 30 minutos en un lugar fresco.

2 Mientras, prepare la pasta de especias. Tamice el besan, la harina de arroz, la guindilla en polvo y la cúrcuma todo junto en un cuenco grande y vaya añadiendo agua hasta obtener una pasta homogénea. Tape y deje reposar 30 minutos.

3 En una freidora o una sartén honda de fondo pesado, caliente el aceite a 180-190°C o hasta que un dado de pan se dore en 30 segundos. Sumerja el pargo en la pasta varias veces para que se impregne bien, sin que gotee nada, y fríalo en el aceite 5 minutos o hasta que esté dorado y crujiente. Sáquelo con una espumadera y déjelo escurrir sobre papel de cocina. Manténgalo caliente mientras fríe el resto del pescado y sirva decorado con las cuñas de lima.

NOTA

Asegúrese de batir bien la pasta. Si la deja reposar más de 30 minutos, vuelva a batirla, pues es probable que los ingredientes hayan empezado a separarse.

kebabs de rape

para 4 personas

3 cdas. de zumo de lima

1 cda. de menta fresca bien picada

1 cda. de cilantro bien picado

2 guindillas verdes frescas
   sin pepitas y picadas

1 cdta. de pasta de jengibre (pág. 7)

½ cdta. de pasta de ajo (pág. 7)

1 cdta. de cilantro molido

sal

350 g de filetes de rape en dados

1 pimiento rojo sin pepitas
   y cortado en trozos

1 pimiento verde sin pepitas
   y cortado en trozos

8 mazorquitas de maíz

8 champiñones blancos

8 tomates cherry

½ coliflor pequeña cortada
   en ramilletes

1 cda. de aceite de maíz

arroz pilaf (pág. 166),
   para acompañar

PARA DECORAR

1 lima cortada en cuñas

ramitas de cilantro

1 En un recipiente de cristal grande y hondo, mezcle la lima, la menta, todo el cilantro, las guindillas, las pastas de jengibre y ajo, y añada 1 pizca de sal. Introduzca el pescado para que se impregne bien. Tape con film transparente y deje marinar 30 minutos en un lugar fresco.

2 Precaliente el grill a fuego medio, ponga a escurrir el pescado y reserve la marinada. En 4 brochetas largas u 8 cortas, pinche trozos de rape, pimiento, mazorquitas por la mitad, champiñones, tomates y coliflor.

NOTA

Si usa brochetas de madera o bambú, déjelas en remojo en agua templada mientras se marina el pescado para que no se chamusquen en la plancha.

3 Unte los kebabs con la marinada restante y el aceite, y áselos en el grill caliente, moviéndolos y girándolos a menudo, 10 minutos o hasta que estén bien hechos. Sirva inmediatamente sobre un lecho de arroz pilaf, decorado con las cuñas de lima y las ramitas de cilantro.

VARIANTE

Si lo prefiere, puede usar langostinos, pelados y con cola, en vez de rape.

pescado en salsa de coco

para 6 personas

1 cda. de ghee o aceite vegetal

2 cebollas cortadas en rodajas

2 cdtas. de comino molido

1 cda. de pasta de ajo (pág. 7)

1 cdta. de cilantro molido

1 cdta. de cúrcuma molida

4 clavos de especia

4 cardamomos majados

6 hojas de curry

750 ml de leche de coco

1 kg de cola de rape

chapatis (pág. 185),
    para acompañar

NOTA

Procure que los trozos de pescado sean de tamaño y grosor parecidos para que se hagan por igual. Se sabe que están hechos cuando adquieren un color opaco y se desmenuzan con facilidad.

1 Caliente el ghee en un cazo grande de fondo pesado. Añada las cebollas y fríalas a fuego lento, removiendo de vez en cuando, durante 10 minutos o hasta que se doren. Agregue el comino, la pasta de ajo, el cilantro molido, la cúrcuma, el clavo y el cardamomo, y siga removiendo 1 o 2 minutos, o hasta que las especias desprendan su aroma. Añada el curry y la leche de coco, mézclelo todo bien, y hierva durante 20 minutos.

2 Mientras, limpie bien el rape y quite la espina central haciendo un corte a cada lado de la misma. Corte los filetes por la mitad dos veces, primero transversal y luego longitudinalmente, y enrolle el pescado lo más apretado que pueda.

3 Bañe poco a poco los rollitos de pescado en la salsa de coco. Tape y hierva 10 minutos más o hasta que estén tiernos y hechos por dentro. Decore con las hojas de curry y sirva inmediatamente con los chapatis.

pescado asado con coco y cilantro

para 4 personas

2 lenguados grandes, limpios

    y sin espinas

sal

5 cdas. de zumo de limón

170 g de cilantro picado

50 g de coco rallado y no dulce

6 guindillas verdes frescas

    sin pepitas y picadas

4 dientes de ajo majados

1 cdta. de semillas de comino

1 cda. de azúcar

aceite vegetal, para untar

1 Con un cuchillo afilado, haga varios cortes en los lenguados por ambos lados. Sálelos por dentro y por fuera, y rocíelos con 4 cucharadas de zumo de limón. Colóquelos en una bandeja grande, tápelos y déjelos marinar 30 minutos en un lugar fresco.

NOTA

No marine el pescado en el zumo de limón más de una hora o de lo contrario el ácido comenzará a desnaturalizar la proteína y a estropear el pescado.

2 Precaliente el horno a 200°C. Ponga el resto del zumo de limón, el cilantro, el coco, las guindillas, el ajo, las semillas de comino y el azúcar en un robot de cocina, y triture hasta obtener una mezcla homogénea. Si lo prefiere, puede majarlo todo en un mortero.

3 Corte 2 trozos de papel parafinado de tamaño suficiente para cubrir un lenguado. Úntelos con un poco de aceite y píntelos con la pasta de coco y cilantro. Luego, envuelva cada lengua-do en un trozo de papel procurando que quede bien cerrado por los lados. Colóquelos en una bandeja de horno grande y métalos en el horno caliente entre 25 y 30 minutos o hasta que estén hechos por dentro. Sepárelos del papel y sirva inmediatamente.

pescado marinado

para 4 personas

1 guindilla verde fresca picada

4 pargos rojos limpios

125 ml de zumo de lima

4 cdas. de yogur natural

1 cdta. de pasta de ajo (pág. 7)

1 cdta. de pasta de jengibre (pág. 7)

1 cda. de semillas de cilantro

1 cdta. de garam masala (pág. 7)

colorante alimentario rojo (opcional)

75 g de mantequilla

2 cdtas. de comino molido

PARA DECORAR

1 lima cortada en cuñas

ramitas de cilantro

1 Despepite, corte y reserve la guindilla. Con un cuchillo afilado, haga varios cortes en el pescado por ambos lados y rocíelos con el zumo de lima. Triture el yogur, las pastas de ajo y jengibre, el cilantro, la guindilla y el garam masala en un robot de cocina hasta obtener una pasta homogénea. Viértala en una bandeja honda y añada colorante (si lo usa). Agregue los trozos de pescado y deles varias vueltas para que se impregnen bien. Cubra con film transparente y deje marinar 8 horas en el frigorífico. Deles la vuelta varias veces.

NOTA

No deje que la mantequilla se torne marrón al fundirla a fuego lento o de lo contrario adquirirá un regusto amargo que estropeará el sabor del pescado.

2 Precaliente el horno a 190°C. Retire el pescado de la marinada, colóquelo bajo el grill en una bandeja y áselo en el horno caliente durante 10 minutos.

3 Mientras, funda la mantequilla en un cazo pequeño a fuego lento. Retire del fuego y añada el comino. Unte el pescado con la mantequilla, póngalo de nuevo en el horno y áselo 6 o 7 minutos o hasta que esté bien hecho. Sirva inmediatamente y decore con cuñas de lima y ramitas de cilantro.

gambas con tomate

para 4-6 personas

3 cebollas

1 pimiento verde

1 cdta. de jengibre fresco bien
   picado

1 diente de ajo majado

1 cdta. de sal

1 cdta. de guindilla en polvo

2 cdas. de zumo de limón

350 g de gambas congeladas

3 cdas. de aceite vegetal

500 g de tomates en conserva

cilantro picado, para decorar

arroz recién hecho, para acompañar

NOTA

La raíz de jengibre fresca
tiene el aspecto de una patata
nudosa. Pélala antes de rallar,
picar o cortar su carne en
rodajas. El jengibre se puede
comprar también molido,
pero el sabor de la raíz fresca
es mucho más penetrante.

1 Con un cuchillo afilado, corte las cebollas y el pimiento en rodajas y retire las pepitas del pimiento.

2 En un cuenco pequeño, mezcle bien el jengibre, el ajo, la sal y la guindilla en polvo. Añada el zumo de limón y remueva hasta obtener una pasta homogénea.

3 Deje las gambas en un cuenco con agua fría hasta que se descongelen y escúrralas bien.

4 Caliente el aceite en una sartén mediana. Añada las cebollas y saltéelas hasta que estén doradas.

5 Agregue la pasta de especias a las cebollas, baje el fuego y mezcle todo bien, durante 3 minutos, sin dejar de remover.

6 Añada los tomates con su jugo y las rodajas de pimiento, y cueza entre 5 y 7 minutos, removiendo de vez en cuando.

7 Agregue las gambas y deje que se cuezan bien durante 10 minutos, removiendo de vez en cuando. Decore con cilantro y sirva acompañado de arroz recién hecho.

camarones con pimientos

para 4 personas

450 g de camarones congelados

½ ramito de cilantro

1 diente de ajo majado

1 cdta. de sal

1 pimiento rojo

1 pimiento verde

75 g de mantequilla

ramitas de cilantro, para decorar

arroz recién hecho, para acompañar

1 Descongele los camarones y enjuáguelos dos veces en agua corriente. Escúrralos bien y colóquelos en un bol grande.

2 Pique el cilantro muy fino, añádalo a los camarones junto con el ajo y la sal, y reserve. Despepite y corte los pimientos rojo y verde, y resérvelos también.

3 Funda la mantequilla en una sartén grande, añada los camarones y saltéelos entre 10 y 12 minutos, removiendo con cuidado.

4 Añada los pimientos reservados y fría entre 3 y 5 minutos más, removiendo cuanto sea necesario.

5 Pase los camarones y los pimientos a una fuente, decore con ramitas de cilantro y sirva con el arroz.

NOTA

Cuando use camarones congelados, asegúrese de descongelarlos bien. Guárdelos tapados en el frigorífico hasta que vaya a usarlos y procure hacerlo el mismo día que los descongele.

gambas al estilo tandoori

para 4 personas

10-12 gambas grandes crudas
100 g de mantequilla
1 cdta. de jengibre fresco bien
  picado
1 diente de ajo majado
1 cdta. de guindilla en polvo
½ cdta. de sal
1 cdta. de cilantro molido
1 cdta. de comino molido
½ ramito de cilantro bien picado
colorante alimentario rojo (opcional)
8 hojas de lechuga
PARA DECORAR
1-2 guindillas verdes frescas
  bien picadas
1 limón cortado en cuñas

NOTA

Aunque no es indispensable,
lo mejor es pelar las gambas
antes de cocerlas, pues hay
quien encuentra incómodo
pelarlas en la mesa.

1 Precaliente el grill a fuego vivo y pele las gambas con cuidado.

2 Ponga las gambas peladas en una fuente refractaria.

3 Funda la mantequilla en un cazo y retírelo del fuego.

4 Añada a la mantequilla el jengibre, el ajo, la guindilla en polvo, la sal, el cilantro molido y el picado, el comino y el colorante rojo (si lo usa), y mézclelo todo bien.

5 Unte las gambas con la mantequilla fundida y la mezcla de especias.

6 Ase las gambas bajo el grill 10 minutos y deles la vuelta una vez.

7 Coloque las gambas sobre un lecho de lechuga y decore con las guindillas picadas y las cuñas de limón. Sirva inmediatamente.

salteado de gambas secas

para 4 personas

200 g de gambas secas

300 ml de aceite vegetal

2 cebollas cortadas en rodajas

3 guindillas verdes frescas bien
   picadas

¼ ramito de cilantro bien picado

1½ cdta. de jengibre fresco bien
   picado

1 o 2 dientes de ajo majados

1 pizca de cúrcuma molida

1 cdta. de sal

1 cdta. de guindilla en polvo,
   y un poco más para decorar

2 cdas. de zumo de limón

chapatis (pág. 185),
   para acompañar

1 Ponga las gambas en remojo en agua fría durante 2 horas. Escúrralas y enjuáguelas en agua corriente dos veces. Vuelva a escurrirlas muy bien.

2 Caliente 125 ml de aceite en una sartén grande.

3 Añada las cebollas, las guindillas y el cilantro picado, y saltee todo hasta que las cebollas estén doradas.

VARIANTE

Si lo prefiere, puede usar 450 g de gambas frescas en vez de 200 g de gambas secas.

4 Agregue el jengibre, el ajo, la cúrcuma, la sal y la guindilla en polvo, y siga salteando 2 minutos más a fuego lento. Aparte y reserve.

5 Caliente el resto del aceite en otra sartén. Fría las gambas, removiendo de vez en cuando, hasta que estén crujientes.

6 Añada las gambas a las cebollas y mézclelo todo bien. Ponga la mezcla de gambas y cebollas al fuego, y saltee entre 3 y 5 minutos. Rocíe por encima el zumo de limón.

7 Pase las gambas al recipiente donde las vaya a servir. Decore con 1 pizca de guindilla en polvo y sírvalas acompañadas de chapatis.

gambas con espinacas

para 4-6 personas

225 g de gambas congeladas

350 g de espinacas congeladas
bien picadas

2 tomates

150 ml de aceite vegetal

½ cdta. de granos de mostaza

½ cdta. de semillas de cebolla

1 cdta. de jengibre fresco bien
picado

1 diente de ajo majado

1 cdta. de guindilla en polvo

1 cdta. de sal

1 Ponga las gambas en remojo en un cuenco con agua fría para que se descongelen bien.

2 Escurra el agua de las espinacas (si es el caso).

3 Con un cuchillo afilado, corte los tomates en rodajas.

4 Caliente el aceite en una sartén grande y añada la mostaza y las semillas de cebolla.

5 Baje el fuego y añada los tomates, las espinacas, el jengibre, el ajo, la guindilla en polvo y la sal, y saltee todo entre 5 y 7 minutos.

6 Escurra las gambas y añádalas a la sartén de espinacas.

7 Remueva las gambas en la salsa de espinacas para que se impregnen bien, tape la sartén y hierva a fuego lento entre 7 y 10 minutos.

8 Ponga las gambas y las espinacas en una bandeja, y sirva caliente.

NOTA

Antes de usarlas, hay que descongelar y escurrir bien las espinacas. También puede emplear espinacas frescas.

mejillones en salsa de coco

para 4 personas

3 cdas. de ghee o aceite vegetal

1 cebolla bien picada

1 cdta. de pasta de ajo (pág. 7)

1 cdta. de pasta de jengibre (pág. 7)

1 cdta. de comino molido

1 cdta. de cilantro molido

½ cdta. de cúrcuma molida

sal

625 ml de leche de coco

1 kg de mejillones vivos, limpios
   y sin barbas

cilantro picado, para decorar

NOTA

Antes de cocinar los mejillones,
enjuáguelos bien en agua
corriente y retire los restos de
barbas. Deseche los que tengan
la concha rota o los que no se
cierren al darles un golpecito.

1 Caliente el ghee en una sartén
grande de fondo pesado. Añada
la cebolla y fríala a fuego lento, removiendo de vez en cuando, durante 10
minutos o hasta que se dore un poco.

2 Agregue las pastas de ajo y jengibre, y siga salteando, removiendo
todo el tiempo, 2 minutos más. Añada
el comino, el cilantro molido, la cúrcuma y 1 pizca de sal, y siga removiendo
otros 2 minutos. Incorpore la leche de
coco y lleve la mezcla a ebullición.

3 Añada los mejillones, tape la
sartén y cuézalos 5 minutos o
hasta que se abran. Deseche los que
sigan cerrados y pase el resto, junto
con la salsa de coco, a una fuente
grande y caliente. Decore con el cilantro y sirva inmediatamente.

VARIANTE

Puede usar 2 cangrejos cocidos
en vez de mejillones. Añada
la carne y las patas en el paso
3 y limítese a calentarlos.

Hortalizas

Muchas personas en la India son vegetarianas. El resultado de tantos años de usar la imaginación para cocinar verduras es un vasto abanico  de sabrosos platos vegetarianos, entre los que destacan los preparados con espinacas, tomates, patatas, judías verdes y coliflor. Hay algunos ingredientes populares, como las berenjenas, el quingombó y el nabo blanco, que aunque son algo menos familiares en Occidente ya se pueden encontrar fácilmente en las tiendas de comida asiática. En este capítulo hemos recopilado toda una serie de platos vegetarianos sencillos y exquisitos que pueden acompañar a otros currys o presentarse como platos principales por derecho propio.

curry de judías verdes con patatas

para 4 personas

300 ml de aceite vegetal

1 cdta. de semillas de comino blanco

½ cdta. de granos de mostaza

½ cdta. de semillas de cebolla

4 guindillas rojas secas

3 tomates cortados en rodajas

1 cdta. de sal

1 cdta. de jengibre fresco picado

1 diente de ajo majado

1 cdta. de guindilla en polvo

200 g de judías verdes troceadas

2 patatas peladas y en dados

300 ml de agua

cilantro picado

2 guindillas verdes frescas

NOTA

La mostaza se suele freír en aceite o ghee (grasa india parecida a la mantequilla clarificada) para que desprenda todo su sabor antes de mezclarla con otros ingredientes.

1 Caliente el aceite en una sartén grande de fondo pesado

2 Añada las semillas de comino blanco, la mostaza, las semillas de cebolla, y las guindillas rojas secas, y remueva todo muy bien.

3 Agregue los tomates y saltee la mezcla entre 3 y 5 minutos.

4 En un bol, mezcle la sal, el jengibre, el ajo y la guindilla en polvo, pase la mezcla a la sartén con una cuchara y remueva bien.

5 Añada las judías verdes y las patatas, y saltee todo unos 5 minutos.

6 Vierta el agua, baje el fuego y hierva entre 10 y 15 minutos, removiendo de vez en cuando.

7 Sirva decorado con un poco de cilantro picado y de guindillas verdes bien picadas.

curry de patatas

para 4 personas

3 patatas peladas y enjuagadas

150 ml de aceite vegetal

1 cdta. de semillas de cebolla

½ cdta. de semillas de hinojo

4 hojas de curry

1 cdta. de comino molido

1 cdta. de cilantro molido

1 cdta. de guindilla en polvo

1 pizca de cúrcuma molida

1 cdta. de sal

1½ cdtas. de amchoor

    (mango seco en polvo)

NOTA

Tradicionalmente, a este curry le acompaña el Postre de sémola (pág. 248).

1 Con un cuchillo afilado, corte cada patata en 6 rodajas.

2 Póngalas en una cacerola con agua y hiérvalas hasta que estén hechas pero firmes (compruebe con un cuchillo afilado o una brocheta). Escúrralas y resérvelas.

3 Caliente el aceite en una sartén. Baje el fuego y añada las semillas de cebolla e hinojo, y las hojas de curry. Remueva para que se mezclen bien.

4 Retire la sartén del fuego, agregue el comino, el cilantro, la guindilla en polvo, la cúrcuma, la sal y el amchoor, y siga removiendo todo bien.

5 Vuelva a poner la sartén en el fuego y saltee la mezcla durante 1 minuto.

6 Vierta la mezcla por encima de las patatas, mezcle todo bien y saltee a fuego lento durante 5 minutos.

7 Pase el curry de patatas a platos calientes y sirva inmediatamente.

curry de espinacas con queso

para 4 personas

300 ml de aceite vegetal

200 g de queso paneer cortado
en dados (véase Nota)

3 tomates cortados en rodajas

1 cdta. de comino molido

1½ cdtas. de guindilla en polvo

1 cdta. de sal

400 g de espinacas frescas

3 guindillas verdes frescas

NOTA

Para hacer el paneer, lleve a
ebullición 1 l de leche a fuego
lento, añada 2 cucharadas de
zumo de limón y remueva bien
hasta que la leche empiece a
cuajarse. Escúrrala y póngala
debajo de algo pesado entre 1½ y
2 horas para que adquiera una
forma plana de 1 cm de grosor.
Una vez cuajado, puede cortar el
paneer en la forma que prefiera.
También se puede comprar hecho
en tiendas de comida asiática.

1 Caliente el aceite en una sartén
grande de fondo pesado. Añada el
paneer y saltéelo, moviéndolo de vez en
cuando, hasta que esté dorado.

2 Añada los tomates y siga salteando
durante 5 minutos. Desmenuce
bien los tomates en la sartén.

3 Incorpore el comino, la guindilla
en polvo y 1 cucharadita de sal,
y remueva bien.

4 Agregue las espinacas y saltee a
fuego lento entre 7 y 10 minutos.

5 Añada las guindillas verdes y saltee
2 minutos sin dejar de remover.

6 Pase el curry a los platos y sirva
caliente.

hamburguesas de verduras

para 4 personas

2 patatas grandes en rodajas

1 cebolla cortada en rodajas

½ coliflor cortada en ramilletes
  pequeños

50 g de guisantes

1 cda. de espinacas picadas

2-3 guindillas verdes frescas

¼ ramito de cilantro picado, y un
  poco más para decorar

1 cdta. de jengibre fresco picado

1 diente de ajo majado

1 cdta. de cilantro molido

1 pizca de cúrcuma molida

1 cdta. de sal

100 g de pan del día rallado

300 ml de aceite vegetal

tiras de guindilla fresca, para decorar

1 Ponga las patatas, la cebolla y la coliflor en una cacerola con agua, y llévelas a ebullición. Baje el fuego y hierva hasta que las patatas estén bien hechas. Retire las verduras de la sartén con una espumadera y escúrralas bien.

2 Añada los guisantes y las espinacas, y mezcle todo bien aplastando la mezcla con un tenedor.

3 Corte las guindillas y mézclelas con el cilantro picado, el jengibre, el ajo, el cilantro molido, la cúrcuma y 1 cucharadita de sal en un bol.

4 Añada la mezcla de especias a las verduras y remueva bien con un tenedor hasta obtener una pasta homogénea. Coloque el pan rallado en una bandeja grande.

5 Con las manos húmedas, divida la pasta de verduras en 10 o 12 bolas pequeñas y aplástelas entre las palmas de las manos para formar círculos planos.

6 Reboce las hamburguesas con el pan rallado, procurando que queden bien cubiertas.

7 Caliente el aceite en una sartén de fondo pesado y fría las hamburguesas, por tandas, hasta que estén doradas, dándoles la vuelta de vez en cuando. Sirva caliente y decore con las tiras de guindilla y el extra de cilantro.

balti de verduras

para 4 personas

3 cdas. de ghee o aceite vegetal

1 cebolla picada

1 cda. de pasta de ajo (pág. 7)

1 cda. de pasta de jengibre (pág. 7)

2 cdtas. de cilantro molido

1 cda. de guindilla en polvo

½ cdta. de cúrcuma molida

½ coliflor cortada en ramilletes

2 patatas cortadas en dados

2 zanahorias cortadas en dados

150 g de guisantes

1 colinabo pequeño cortado en dados

150 g de judías verdes cortadas
   en trozos de 5 cm

80 g de granos de maíz

4 tomates pelados y picados

sal

4-8 cdas. de caldo de verduras
   o agua

ramitas de cilantro, para decorar

1 Caliente el ghee en un cazo grande y fría la cebolla a fuego lento, removiendo de vez en cuando, 10 minutos o hasta que esté dorada. Añada las pastas de ajo y jengibre, y saltee durante 1 minuto. Agregue el cilantro molido, la guindilla en polvo y la cúrcuma, y siga salteando 2 minutos, sin dejar de remover, hasta que las especias desprendan su aroma.

2 Añada la coliflor, las patatas, las zanahorias, los guisantes, el colinabo, las judías verdes y el maíz, y siga salteando 3 minutos más. Agregue los tomates y sazone con sal al gusto. Al final, añada 4 cucharadas de caldo.

3 Tape y hierva 10 minutos o hasta que todas las verduras estén tiernas. Vigile la cocción y si ve que las verduras se quedan pegadas en el fondo, añada más caldo. Sirva decorado con ramitas de cilantro.

curry de quingombó

para 4 personas

450 g de quingombós

150 ml de aceite vegetal

2 cebollas cortadas en rodajas

3 guindillas verdes frescas picadas

2 hojas de curry

1 cdta. de sal

1 tomate cortado en rodajas

2 cdas. de zumo de limón

cilantro picado

1 Enjuague los quingombós y escúrralos bien. Con un cuchillo afilado, deseche los extremos y corte el resto en trozos de 2,5 cm de largo.

NOTA

Cuando compre quingombó fresco, asegúrese de que tenga buen aspecto y que no presente manchas marrones. Bien envuelto, se conserva en el frigorífico hasta 3 días. Esta verdura destaca por su poder aglutinante; se usa para espesar de forma natural currys y otros guisos.

2 Caliente el aceite en una sartén grande de fondo pesado y saltee las cebollas, las guindillas, las hojas de curry y la sal durante 5 minutos, procurando mezclarlo todo bien.

3 Añada el tomate y rocíe por encima el zumo de limón.

4 Agregue poco a poco el quingombó mezclándolo suavemente con una espumadera. Saltee la mezcla a fuego medio entre 12 y 15 minutos.

5 Añada el cilantro, tape la sartén y cueza entre 3 y 5 minutos.

6 Pase a los platos y sirva caliente.

curry de verduras

para 4 personas

250 g de nabos o colinabos pelados

1 berenjena recortada

350 g de patatas nuevas raspadas

250 g de coliflor

250 g de champiñones blancos

1 cebolla grande

250 g de zanahorias peladas

6 cdas. de ghee o aceite vegetal

2 dientes de ajo majados

1 trozo de jengibre fresco de 5 cm
   bien picado

1-2 guindillas verdes frescas sin
   pepitas y picadas

1 cda. de pimentón

2 cdtas. de cilantro molido

1 cda. de curry suave o semipicante
   en polvo o en pasta

450 ml de caldo de verduras

500 g de tomates en conserva
   picados

sal

1 pimiento verde sin pepitas
   y cortado en rodajas

1 cda. de maicena

150 ml de leche de coco

2-3 cdas. de almendras molidas

ramitas de cilantro, para decorar

1 Corte los nabos, la berenjena y las patatas en dados de 1 cm. Divida la coliflor en ramilletes pequeños. Deje los champiñones enteros o córtelos en rodajas gruesas, según prefiera, y corte la cebolla y las zanahorias en rodajas.

2 Caliente el ghee en una sartén grande y fría la cebolla, las zanahorias, el nabo, la patata y la coliflor durante 3 minutos, a fuego lento y sin dejar de remover. Añada el ajo, el jengibre, las guindillas, el pimentón, el cilantro molido y el curry en polvo, y saltee y remueva 1 minuto más.

3 Añada el caldo, los tomates, la berenjena y los champiñones, y sazone con sal al gusto. Tape la sartén y hierva a fuego lento 30 minutos o hasta que las verduras estén tiernas. Añada el pimiento verde, vuelva a tapar y cueza 5 minutos más.

4 Mezcle la maicena y la leche de coco hasta obtener una pasta homogénea, y pásela a la sartén. Luego, añada las almendras molidas y hierva 2 minutos sin dejar de remover. Corrija de sal y pimienta, si es necesario. Sirva caliente decorado con ramitas de cilantro.

crêpes de arroz rellenas de patata

para 6 personas

200 g de arroz y 50 g de urid dal,
   o 200 g de arroz molido y 50 g
   de harina de urid dal (ata)

450 - 600 ml de agua

1 cdta. de sal

4 cdas. de aceite vegetal

RELLENO

4 patatas cortadas en rodajas

3 guindillas verdes frescas picadas

½ cdta. de cúrcuma molida

1 cdta. de sal

150 ml de aceite vegetal

1 cdta. de mezcla de granos de
   mostaza y semillas de cebolla

3 guindillas rojas secas

4 hojas de curry

2 cdas. de zumo de limón

1 Para hacer las crêpes (dosas), ponga en remojo el arroz y las urid dal durante 3 horas, y luego tritúrelos hasta obtener una pasta homogénea, añadiendo agua si es necesario. Deje reposar 3 horas para que fermente. Otra opción si usa arroz molido y harina de urid dal es ponerlos juntos en un bol, añadir agua y sal, y mezclar todo bien hasta formar la pasta.

2 Caliente 1 cucharada de aceite en una sartén grande antiadherente. Pase la pasta a la sartén con un cucharón, incline la sartén para que se extienda bien por la base, tape y deje a fuego medio durante 2 minutos. Quite la tapa y dé la vuelta a las crêpes con cuidado. Vierta un poquito de aceite por el borde, tape de nuevo y deje 2 minutos más. Haga lo mismo con el resto de la pasta.

3 Para el relleno, ponga las patatas en una olla con agua y hiérvalas. Añada las guindillas, la cúrcuma y la sal, y cueza hasta que estén lo bastante tiernas como para hacer puré con ellas.

4 Caliente el aceite en una sartén y saltee la mostaza, las semillas de cebolla, las guindillas rojas y las hojas de curry 1 minuto. Esparza las especias por encima del puré de patatas, rocíe el zumo de limón y mezcle. Ponga un poco de relleno en una mitad de la crêpe y cierre con la otra mitad. Haga lo mismo con el resto y sírvalas bien calientes.

curry de berenjenas

para 4 personas

40 g de tamarindo seco cortado
en trozos grandes

125 ml de agua hirviendo

2 berenjenas grandes cortadas
en rodajas

sal

2 cdas. de ghee o aceite vegetal

3 cebollas cortadas en rodajas

1 cdta. de pasta de ajo (pág. 7)

1 cdta. de pasta de jengibre (pág. 7)

4 hojas de curry

1 guindilla verde fresca sin pepitas
y bien picada

2 guindillas rojas frescas sin pepitas
y bien picadas

1 cda. de cilantro molido

2 cdtas. de semillas de comino

2 cdtas. de mostaza amarilla

2 cdas. de tomate concentrado

500 ml de leche de coco

3 cdas. de cilantro picado, y un
poco más para decorar

1 Ponga el tamarindo en un bol,
añada agua hirviendo, remueva y
deje reposar 30 minutos para que se
empape bien. Coloque las rodajas de
berenjena en un escurridor y espolvoree
sal por encima. Deje escurrir 30 minutos.

2 Cuele el jugo del tamarindo en un
bol, exprimiendo bien la pulpa
con un cucharón de madera, y deseche
los restos del colador. Enjuague las
rodajas de berenjena debajo del grifo y
séquelas con papel de cocina.

3 Caliente el ghee en un cazo grande y fría las cebollas durante 10
minutos o hasta que estén doradas.
Agregue las pastas de ajo y jengibre,
y saltee y remueva constantemente
durante 2 minutos. Añada las hojas
de curry, las guindillas verdes y rojas,
el cilantro, el comino, la mostaza y el
tomate, y siga salteando y removiendo
durante 2 minutos o hasta que las
especias desprendan su aroma.

4 Añada el jugo del tamarindo y
la leche de coco, y lleve todo
a ebullición. Añada las rodajas de
berenjena, tape y cueza entre 12
y 15 minutos o hasta que la berenjena
esté tierna. Destape y hierva 5 minutos
más o hasta que la salsa esté espesa.
Decore con cilantro picado y sirva
inmediatamente.

NOTA

Casi todas las variedades de
berenjena que existen hoy día no
necesitan que se les añada sal
para que liberen los jugos
amargos, pero hacerlo evita que
se mustien.

patatas con especias y cebollas

para 4 personas

6 cdas. de aceite vegetal

2 cebollas bien picadas

1 cdta. de jengibre fresco bien
   picado

1 diente de ajo majado

1 cdta. de guindilla en polvo

1½ cdtas. de comino molido

1½ cdtas. de cilantro molido

1 cdta. de sal

400 g de patatas nuevas cocidas

1 cda. de zumo de limón

BAGHAAR

3 cdas. de aceite vegetal

3 guindillas rojas secas

½ cdta. de semillas de cebolla

½ cdta. de semillas de mostaza

½ cdta. de semillas de fenogreco

1 guindilla verde fresca, para decorar

1 Caliente el aceite en una sartén grande y fría las cebollas hasta que estén doradas. Baje el fuego, agregue el jengibre, el ajo, la guindilla en polvo, el comino, el cilantro y la sal, y saltee durante 1 minuto. Retire la sartén del fuego y reserve.

2 Incorpore las patatas a la sartén junto con las cebollas y las especias. Rocíe por encima el zumo de limón y mezcle todo muy bien.

3 Para hacer el baghaar, caliente el aceite en un cazo aparte. Añada las guindillas rojas, las semillas de cebolla, la mostaza y el fenogreco, y saltee hasta que se ennegrezca todo un poco. Retire la sartén del fuego y vierta el baghaar sobre las patatas.

4 Decore con la guindilla verde bien picada y sirva inmediatamente.

NOTA

Este plato también se puede servir como guarnición para asados o chuletas de cordero.

patatas con guisantes

para 2-4 personas

150 ml de aceite vegetal

3 cebollas cortadas en rodajas

1 diente de ajo majado

1 cda. de jengibre fresco picado

1 cda. de guindilla en polvo

½ cda. de cúrcuma molida

1 cda. de sal

2 guindillas verdes frescas bien
   picadas

300 ml de agua

3 patatas

150 g de guisantes

cilantro picado, para decorar

1 Caliente el aceite en una sartén grande y fría las cebollas, removiendo de vez en cuando, hasta que estén doradas.

2 En un bol, mezcle el ajo, el jengibre, la guindilla en polvo, la cúrcuma, 1 cda. de sal y las guindillas, y añada la mezcla a las cebollas.

3 Agregue 150 ml de agua, tape la sartén y cueza hasta que las cebollas estén bien hechas.

NOTA

La cúrcuma es una raíz aromática que se seca y se muele para producir ese polvo de color brillante entre amarillo y naranja tan distintivo de muchos platos indios. Tiene un aroma cálido e intenso y un fuerte sabor amargo.

4 Mientras, con un cuchillo afilado, corte cada patata en 6 rodajas.

5 Añada las rodajas de patata a la mezcla de la sartén y saltee todo durante 5 minutos.

6 Añada los guisantes y el resto de agua, tape y cueza entre 7 y 10 minutos. Pase las patatas y los guisantes a los platos y decórelos con cilantro picado.

coliflor frita

para 4 personas

4 cdas. de aceite vegetal

½ cdta. de semillas de cebolla

½ cdta. de granos de mostaza

½ cdta. de semillas de fenogreco

4 guindillas rojas secas

1 coliflor pequeña cortada
  en ramilletes pequeños

1 cdta. de sal

1 pimiento verde, sin pepitas
  y cortado en dados

VARIANTE

En fiestas u ocasiones especiales,
se puede mejorar la presentación
usando coliflores mini en vez de
ramilletes. Deseche casi todas las
hojas exteriores y deje algunas
pequeñas para decorar. Escáldelas
durante 4 minutos y cocínelas
igual que los ramilletes.

NOTA

Las semillas de cebolla son
pequeñas y negras. En las tiendas
asiáticas, a veces se llaman kalonji.
Pueden usarse como sustituto de la
pimienta, pero son más picantes.

1 Caliente el aceite en una sartén
grande de fondo pesado.

2 Añada las semillas de cebolla,
los granos de mostaza, las semillas de fenogreco y las guindillas rojas
secas, y remueva bien.

3 Baje el fuego y añada gradualmente la coliflor y la sal. Saltee
entre 7 y 10 minutos procurando
rebozar bien la coliflor con la mezcla
de especias.

4 Añada el pimiento y saltee entre
3 y 5 minutos más.

5 Disponga la coliflor en una bandeja y sírvala caliente.

curry de daikon

para 4 personas

450 g de daikon, preferentemente
   con hojas

1 cda. de moong dal

300 ml de agua

150 ml de aceite vegetal

1 cebolla cortada en rodajas finas

1 diente de ajo majado

1 cdta. de guindilla seca en láminas

1 cdta. de sal

chapatis (pág. 185), para acompañar

1 Lave, pele y corte el daikon en rodajas (junto con las hojas, si lo prefiere).

2 Ponga el daikon, las hojas y las moong dal en un cazo, y viértales el agua por encima. Lleve todo a ebullición y cueza hasta que el daikon esté tierno.

3 Escurra bien el daikon y, con las manos, exprima toda el agua.

4 Caliente el aceite en una sartén y fría la cebolla, el ajo y la guindilla seca en láminas con la sal. Saltee sin dejar de remover hasta que las cebollas estén tiernas y empiecen a dorarse.

5 Añada la mezcla de daikon a la mezcla de cebolla con especias, y remueva bien. Baje el fuego y saltee, sin dejar de remover, entre 3 y 5 minutos.

6 Sirva el curry de daikon bien caliente y acompañado de chapatis.

NOTA

El daikon es como una chirivía pero sin el extremo puntiagudo, y es fácil de encontrar hoy día en muchos supermercados y tiendas de comida asiática.

verduras al estilo de Cachemira

para 4 personas

3 cdas. de ghee o aceite vegetal

2 cdas. de almendras en láminas

8 semillas de cardamomo

8 granos de pimienta negra

2 cdtas. de semillas de comino

1 rama de canela

2 guindillas verdes frescas sin pepitas y picadas

1 cdta. de pasta de jengibre (pág. 7)

1 cdta. de guindilla en polvo

3 patatas cortadas en trozos grandes

sal

250 g de quingombó cortado en trozos de 2,5 cm

½ coliflor cortada en ramilletes

150 g de yogur natural

150 ml de caldo de verduras o agua

arroz recién hecho, para acompañar

1 Caliente 1 cucharada de ghee en un cazo de fondo pesado y saltee las almendras a fuego lento, sin dejar de remover, durante 2 minutos o hasta que estén doradas.

2 Sáquelas del cazo, déjelas escurrir sobre papel de cocina y resérvelas. Ponga el cardamomo, los granos de pimienta, las semillas de comino y la canela en un molinillo de especias, y muela todo muy fino.

3 Añada el resto del ghee al cazo y, cuando esté caliente, saltee las guindillas, removiendo a menudo, durante 2 minutos. Agregue la pasta de jengibre, la guindilla en polvo y las especias molidas, y siga salteando y removiendo 2 minutos más o hasta que desprendan su aroma.

4 Añada las patatas y sazone con sal al gusto. Tape el cazo y póchelas 8 minutos, removiendo de vez en cuando. Agregue el quingombó y la coliflor, y cueza 5 minutos más.

5 Incorpore poco a poco el yogur y el caldo, y lleve todo a ebullición. Tape y hierva 10 minutos o hasta que las verduras estén tiernas. Decore con las almendras y sirva acompañado de arroz recién hecho.

VARIANTE

Use boniatos en vez de patatas para dar al plato un toque ligeramente dulce.

berenjenas al yogur

para 4 personas

2 berenjenas

4 cdas. de aceite vegetal

1 cebolla cortada en rodajas

1 cdta. de semillas de comino blanco

1 cdta. de guindilla en polvo

1 cdta. de sal

3 cdas. de yogur natural

½ cdta. de salsa de menta

hojas de hierbabuena fresca
    cortadas en tiras, para decorar

1 Precaliente el horno a 160°C.
Lave las berenjenas y séquelas
con papel de cocina.

2 Ponga las berenjenas en una bandeja refractaria y áselas en el
horno durante 45 minutos. Luego,
sáquelas y déjelas enfriar.

3 Corte las berenjenas por la mitad,
extráigales la pulpa con una cuchara y reserve. Caliente el aceite en
una sartén de fondo pesado y saltee la
cebolla y las semillas de comino entre
1 y 2 minutos, sin dejar de remover.

4 Añada la guindilla en polvo, la
sal, el yogur y la salsa de menta,
y mezcle bien.

5 Agregue la pulpa de las berenjenas y saltee entre 5 y 7 minutos
o hasta se absorba todo el líquido y la
mezcla quede bastante seca.

6 Sirva las berenjenas en platos
decoradas con las tiras de hierbabuena por encima.

curry de tomate

para 4 personas

500 g de tomates en conserva

1 cdta. de jengibre fresco bien
   picado

1 diente de ajo majado

1 cdta. de guindilla en polvo

1 cdta. de sal

½ cdta. de cilantro molido

½ cdta. de comino molido

4 cdas. de aceite vegetal

½ cdta. de semillas de cebolla

½ cdta. de granos de mostaza

½ cdta. de semillas de fenogreco

1 pizca de semillas de comino blanco

3 guindillas rojas secas

2 cdas. de zumo de limón

3 huevos duros

1/4 ramito de cilantro picado

1 Ponga los tomates en un cuenco grande. Añada el jengibre, el ajo, la guindilla en polvo, la sal, el cilantro molido y el comino, y mezcle bien. Caliente el aceite en una sartén y saltee la cebolla, la mostaza, el fenogreco, las semillas de comino blanco y las guindillas rojas secas durante 1 minuto. Retire la sartén del fuego.

2 Añada la mezcla de tomate a la de especias y vuelva a poner la sartén al fuego. Saltee durante 3 minutos, baje el fuego y cueza medio destapado 7 o 10 minutos, removiendo de vez en cuando.

3 Rocíe por encima el zumo de limón, pase el curry a una bandeja y mantenga bien caliente.

4 Pele los huevos duros, córtelos en cuatro trozos y colóquelos con la parte de la yema hacia abajo sobre el curry de tomates.

5 Decore con cilantro picado y sirva caliente.

NOTA

Puede preparar este curry con antelación y congelarlo hasta su uso, pues resiste bastante bien.

berenjenas con especias

para 4 personas

2 cdtas. de cilantro molido

2 cdtas. de comino molido

2 cdtas. de coco rallado no dulce

2 cdtas. de semillas de sésamo

½ cdta. de granos de mostaza

½ cdta. de semillas de cebolla

300 ml de aceite vegetal

3 cebollas cortadas en rodajas

1 cdta. de jengibre fresco picado

1 diente de ajo majado

½ cdta. de cúrcuma molida

1½ cdtas. de guindilla en polvo

1½ cdtas. de sal

3 berenjenas cortadas al bies

1 cda. de pasta de tamarindo

300 ml de agua

BAGHAAR

150 ml de aceite vegetal

½ cdta. de semillas de cebolla

½ cdta. de granos de mostaza

1 cdta. de semillas de comino

4 guindillas rojas secas

3 cdas. de cilantro bien picado

1 guindilla verde fresca bien picada

PARA DECORAR

3 huevos cortados en cuartos

ramitas de cilantro

1 En una sartén honda, tueste el cilantro molido, el comino, el coco, el sésamo, la mostaza y las semillas de cebolla. Muela todo un poco con un robot de cocina o un mortero. Aparte, caliente el aceite y fría las cebollas hasta que estén doradas. Baje el fuego y añada el jengibre, el ajo, la cúrcuma, la guindilla en polvo y la sal, y remueva. Deje enfriar y vuelva a moler la mezcla hasta obtener una pasta homogénea.

2 Haga 4 cortes en cada mitad de berenjena, junte las especias con la pasta de cebolla e introduzca la mezcla en los cortes con una cuchara.

3 Mezcle la pasta de tamarindo y 3 cucharadas de agua hasta que quede homogéneo. Reserve.

4 Para el baghaar, caliente el aceite en una sartén grande y saltee las semillas de cebolla, la mostaza, el comino y las guindillas rojas. Baje el fuego, ponga las berenjenas rellenas en el baghaar y remueva un poco. Agregue la pasta de tamarindo y el resto del agua, y cueza entre 15 y 20 minutos. Añada el cilantro y la guindilla verde y, cuando esté frío, pase a una bandeja y sirva decorado con los huevos duros y las ramitas de cilantro.

albóndigas en salsa de yogur

para 4 personas

100 g de besan

1 cdta. de guindilla en polvo

½ cdta. de sal

½ cdta. de bicarbonato de sodio

1 cebolla bien picada

2 guindillas verdes frescas picadas

¼ ramito de cilantro picado

150 ml de agua

300 ml de aceite vegetal

SALSA DE YOGUR

300 g de yogur natural

3 cdas. de besan

150 ml de agua

1 cdta. de jengibre fresco picado

1 diente de ajo majado

1½ cdtas. de guindilla en polvo

1½ cdtas. de sal

½ cdta. de cúrcuma molida

1 cdta. de cilantro molido

1 cdta. de comino molido

BAGHAAR

150 ml de aceite vegetal

1 cdta. de semillas de comino blanco

6 guindillas rojas secas

1 Para hacer las albóndigas, tamice el besan en un bol grande. Añada la guindilla en polvo, la sal, la cebolla, el bicarbonato, las guindillas picadas y el cilantro, y mezcle bien. Vierta el agua y remueva hasta obtener una pasta espesa. Caliente el aceite en una sartén y añada cucharaditas de la pasta. Fría las albóndigas a fuego medio hasta que estén doradas y crujientes. Reserve.

2 Para la salsa, ponga el yogur en un bol, agregue el besan y el agua, y bata todo bien. Añada todas las especias y siga batiendo.

3 Cuele esta mezcla y pásela a la sartén. Llévela a ebullición a fuego lento sin dejar de remover, y si la salsa de yogur se espesa demasiado, añada un poquito más de agua.

4 Vierta la salsa en una bandeja honda y ponga las albóndigas encima. Mantenga caliente.

5 Para el baghaar, caliente el aceite en una sartén, fría las semillas de comino y las guindillas rojas, y saltéelas hasta que se ennegrezcan. Viértalo sobre las albóndigas y sirva caliente.

pimientos rellenos

para 4 personas

125 ml de aceite vegetal

1 cebolla bien picada

1 patata cortada en dados

80 g de guisantes

80 g de habas

60 g de ramilletes de coliflor

1 zanahoria cortada en dados

80 g de granos de maíz

2 cdtas. de amchoor
   (mango seco en polvo)

1 cdta. de garam masala (pág. 7)

½ cdta. de guindilla en polvo

4 pimientos verdes grandes
   u 8 pequeños

VARIANTE

Puede usar otras verduras como relleno: brécol, champiñones laminados, calabacines cortados en rodajas o berenjenas.

---

1 Precaliente el horno a 160°C. Caliente 4 cucharadas de aceite vegetal en una cacerola de fondo pesado y sofría la cebolla, removiendo de vez en cuando, durante 5 minutos o hasta que esté tierna. Agregue la patata y sofría, removiendo, 5 minutos más.

2 Añada los guisantes, las habas, la coliflor, la zanahoria, el maíz, el amchoor, el garam masala y la guindilla en polvo, y sazone con sal al gusto. Mezcle todo bien, tape la cacerola y cueza 15 minutos o hasta que todas las verduras estén tiernas. Retire la cacerola del fuego y deje enfriar.

3 Corte la parte superior de los pimientos a modo de «tapas» y retire las pepitas. Caliente el resto del aceite vegetal en una sartén y saltee los pimientos durante 3 minutos dándoles la vuelta varias veces. Sáquelos y déjelos escurrir sobre papel de cocina. Con una cuchara, rellene los pimientos con la mezcla de verduras y colóquelos en una bandeja refractaria. Ase en el horno 20 minutos y sirva inmediatamente.

NOTA

La guindilla en polvo está hecha de guindillas rojas secas molidas y suele ser muy picante; úsela con moderación. La encontrará en casi todos los grandes supermercados.

curry de garbanzos

para 4 personas

6 cdas. de aceite vegetal

2 cebollas cortadas en rodajas

1 cdta. de jengibre fresco bien
  picado

1 cdta. de comino molido

1 cdta. de cilantro molido

1 diente de ajo majado

1 cdta. de guindilla en polvo

2 guindillas verdes frescas

½ ramito de cilantro picado

150 ml de agua

1 patata grande

500 g de garbanzos en conserva
  escurridos

1 cda. de zumo de limón

NOTA

Los garbanzos en conserva le
ahorrarán tiempo, pero puede usar
garbanzos secos, dejarlos en
remojo una noche y hervirlos 15
minutos o hasta que estén tiernos.

1 Caliente el aceite en una sartén grande y saltee las cebollas hasta que estén doradas.

2 Baje el fuego, agregue el jengibre, el comino molido, el cilantro molido, el ajo, la guindilla en polvo, las guindillas verdes y el cilantro picado, y saltee otros 2 minutos.

3 Añada el agua y remueva para que se mezcle todo bien. Pele la patata y córtela en dados.

4 Agregue los dados de patata y los garbanzos, tape la sartén y hierva, removiendo de vez en cuando, entre 5 y 7 minutos.

5 Rocíe el zumo de limón por encima del curry.

6 Sirva el curry de garbanzos caliente en los platos.

curry de patatas y coliflor

para 4 personas

150 ml de aceite vegetal

½ cdta. de semillas de comino blanco

4 guindillas rojas secas

2 cebollas cortadas en rodajas

1 cdta. de jengibre fresco bien
    picado

1 diente de ajo majado

1 cdta. de guindilla en polvo

1 cdta. de sal

1 pizca de cúrcuma molida

3 patatas

½ coliflor cortada en ramilletes

2 guindillas verdes frescas (opcional)

¼ ramito de cilantro picado

150 ml de agua

NOTA

Maneje las guindillas con
precaución y, si es posible,
con guantes de goma, porque
los jugos que segregan son
extremadamente acres.
Lávese bien las manos después
de manipularlas y no se toque
los ojos, pues el escozor puede
resultar insoportable.

1 Caliente el aceite en una sartén grande, fría las semillas de comino blanco y las guindillas rojas secas, y mezcle bien.

2 Añada las cebollas, remueva de vez en cuando y espere a que estén doradas.

3 En un bol, mezcle el jengibre, el ajo, la guindilla en polvo, la sal y la cúrcuma. Agregue esta mezcla de especias a las cebollas y saltee durante 2 minutos.

4 Incorpore las patatas y la coliflor y remueva bien para que se impregnen de las especias.

5 Baje el fuego y agregue las guindillas verdes (si las usa), el cilantro y el agua. Tape la sartén y hierva entre 10 y 15 minutos.

6 Pase el curry a platos calientes y sírvalo inmediatamente.

calabaza verde al curry

para 4 personas

150 ml de aceite vegetal

2 cebollas cortadas en rodajas

½ cdta. de semillas de comino blanco

450 g de calabaza verde cortada en
   dados

1 cdta. de amchoor
   (mango seco en polvo)

1 cdta. de jengibre fresco picado

1 diente de ajo majado

1 cdta. de guindilla seca en láminas

½ cdta. de sal

300 ml de agua

1 Caliente el aceite en una sartén
grande y fría las cebollas y las
semillas de comino, removiendo de vez
en cuando, hasta que estén doradas.

2 Añada la calabaza cortada en
dados y saltéela de 3 a 5 minutos
a fuego lento.

3 Mezcle en un bol el amchoor, el
jengibre, el ajo, la guindilla seca
en láminas y la sal.

NOTA

Las semillas de comino son
populares en la cocina india por
su sabor y aroma cálido y
picante. Las semillas se venden
enteras o molidas, y son uno de
los ingredientes del garam
masala (pág. 7).

VARIANTE

Puede usar calabaza normal,
si lo prefiere.

---

4 Añada la mezcla de especias a la
de calabaza y remueva bien.

5 Vierta el agua, tape la sartén y
cueza a fuego lento entre 10 y
15 minutos, removiendo de vez en
cuando.

6 Pase el curry a los platos y sírvalo
caliente.

berenjenas rellenas

para 4 personas

2 berenjenas grandes

2 zanahorias cortadas en dados

2 patatas cortadas en dados

2 calabacines cortados en dados

150 ml de caldo de verduras o
   ½ pastilla de caldo de verduras
   disuelta en 150 ml de agua
   caliente

½ cdta. de cilantro molido

½ cdta. de comino molido, y un
   poco más para espolvorear

½ cdta. de cardamomo molido

½ cdta. de cúrcuma molida

¼ cdta. de canela molida

¼ cdta. de cayena

¼ cdta. de clavos de especia molidos

¼ cdta. de macis molida

1 cebolla cortada en rodajas finas

1 cda. de hierbabuena fresca picada

ramitas de hierbabuena fresca,
   para decorar

NOTA

Esta receta es ideal para personas
que llevan una dieta baja en
grasas, ya que hervir las verduras
o cocerlas al vapor es una forma
muy saludable de cocinar.

1 Precaliente el horno a 190°C.
Corte las berenjenas a lo largo y,
con un cuchillo afilado, haga un corte
alrededor de los bordes sin tocar la piel.
Haga cortes cruzados en la pulpa y
extráigala con una cuchara procurando
dejar la piel intacta. Cueza al vapor las
berenjenas vaciadas durante 5 minutos
o hasta que estén tiernas, procurando
que no se rompan. Sáquelas y déjelas
enfriar. Cueza al vapor las zanahorias y
las patatas durante 3 minutos. Luego,
añada los calabacines y siga cociendo
3 minutos más. Finalmente, pase las
verduras a un bol.

2 Corte la pulpa de la berenjena.
Lleve el caldo a ebullición en una
cacerola y agregue el cilantro, el comino, el cardamomo, la cúrcuma, la
canela, la cayena, los clavos, el macis
y la cebolla. Hierva durante 5 minutos,
removiendo de vez en cuando. Añada
la pulpa de la berenjena y deje que
hierva 5 minutos más. Luego, incorpore las zanahorias, las patatas y los
calabacines, sazone con sal al gusto y
retire la cacerola del fuego. Añada la
hierbabuena.

3 Disponga las berenjenas una junto
a otra en una bandeja refractaria.
Reparta la mezcla de verduras entre ellas
y espolvoréelas ligeramente con un
poquito de comino molido. Tape con
papel de aluminio y hágalas en el horno
30 minutos o hasta que estén tiernas.
Sírvalas decoradas con la hierbabuena.

huevos al curry

para 4 personas

4 cdas. de aceite vegetal

1 cebolla cortada en rodajas

1 guindilla roja bien picada

½ cdta. de guindilla en polvo

½ cdta. de jengibre fresco bien
   picado

1-2 dientes de ajo majados

4 huevos

1 tomate firme cortado en rodajas

¼ ramito de cilantro picado,
   para decorar

NOTA

Los huevos son ricos en proteínas de alta calidad, grasas, hierro y vitaminas A, B y D, pero también lo son en colesterol. Las hojas y los tallos del cilantro bien picados se usan en la cocina india para dar sabor a los platos y también como guarnición. El cilantro tiene un sabor muy peculiar e intenso.

1 Caliente el aceite en una sartén grande y fría la cebolla hasta que esté tierna y un poco dorada.

2 Añada la guindilla roja, la guindilla en polvo, el jengibre y el ajo, y sofría durante 1 minuto.

3 Agregue los huevos y las rodajas de tomate y siga sofriendo entre 3 y 5 minutos más, removiendo para desmenuzar los huevos cuando empiecen a estar hechos.

4 Esparza por encima el cilantro picado. Pase los huevos al curry a los platos y sirva caliente.

salteado de verduras

para 4 personas

300 ml de aceite vegetal

1 cdta. de granos de mostaza

1 cdta. de semillas de cebolla

½ cdta. de semillas de comino blanco

3-4 hojas de curry picadas

450 g de cebollas bien picadas

3 tomates picados

½ pimiento rojo y ½ verde
 sin pepitas y cortados en rodajas

1 cdta. de jengibre fresco bien
 picado

1 diente de ajo majado

1 cdta. de guindilla en polvo

¼ cdta. de cúrcuma molida

1 cdta. de sal

450 ml de agua

2 patatas peladas y troceadas

½ coliflor cortada en ramilletes

4 zanahorias peladas y cortadas
 en rodajas

3 guindillas verdes frescas picadas

¼ ramito de cilantro bien picado

1 cda. de zumo de limón

arroz recién hecho, para acompañar

1 Caliente el aceite en una sartén grande, agregue la mostaza, la cebolla, las semillas de comino y las hojas de curry y saltee hasta que se ennegrezcan un poco.

2 Añada las cebollas y fríalas a fuego medio hasta que estén doradas.

3 Incorpore los tomates y los pimientos, y saltee 5 minutos.

4 Añada el jengibre, el ajo, la guindilla en polvo, la cúrcuma y la sal, y mezcle todo bien.

5 Vierta 300 ml de agua, tape la sartén y hierva entre 10 y 12 minutos, moviendo de vez en cuando. Incorpore las patatas, la coliflor, las zanahorias, las guindillas verdes y el cilantro, y saltee 5 minutos más.

6 Vierta el resto del agua y el zumo de limón sin dejar de remover. Tape y hierva 15 minutos, removiendo de vez en cuando.

7 Pase el salteado de verduras a platos calientes y sirva inmediatamente con arroz.

calabacines con semillas de fenogreco

para 4 personas

6 cdas. de aceite vegetal

1 cebolla bien picada

3 guindillas verdes frescas picadas

1 cdta. de jengibre fresco picado

1 diente de ajo majado

1 cdta. de guindilla en polvo

450 g de calabacines cortados en
   rodajas

2 tomates cortados en rodajas

2 cdtas. de semillas de fenogreco

cilantro picado, para decorar

chapatis (pág. 185), para acompañar

1 Caliente el aceite en una sartén grande de fondo pesado. Añada la cebolla, las guindillas verdes, el jengibre, el ajo y la guindilla en polvo, y mezcle y saltee bien.

2 Incorpore las rodajas de calabacín y los tomates, y saltee entre 5 y 7 minutos.

3 Agregue ahora las semillas de fenogreco a la sartén y saltee 5 minutos más.

4 Retire la sartén del fuego y pase los calabacines con fenogreco a los platos. Decore con cilantro y sirva caliente acompañado de chapatis.

NOTA

El fenogreco fresco se vende en ramitos. Se usan tanto las hojas como las semillas, de color pardo y forma aplanada, pero no olvide desechar los tallos y la raíz porque tienen un sabor bastante amargo.

salteado de quingombó

para 4 personas

450 g de quingombós

150 ml de aceite vegetal

100 g de cebollas secas

2 cdtas. de amchoor

   (mango seco en polvo)

1 cdta. de comino molido

1 cdta. de guindilla en polvo

1 cdta. de sal

NOTA

El amchoor es mango seco molido. Su sabor es ligeramente amargo y se vende en tarros en las tiendas de comida asiática.

1 Corte los extremos de los quingombós y pártalos con cuidado por el centro sin llegar a cortarlos enteros.

2 Caliente el aceite en una sartén grande y fría las cebollas secas hasta que estén crujientes.

3 Sáquelas con una espumadera y déjelas escurrir sobre papel de cocina.

4 Cuando ya no estén demasiado calientes y se puedan manejar, despedácelas en trozos grandes y colóquelas en un cuenco grande.

5 Añada el amchoor, el comino molido, la guindilla en polvo y la sal, y mezcle bien con las cebollas.

6 Con una cuchara, introduzca la cebolla y la mezcla de especias en el quingombó partido.

7 Recaliente el aceite en la sartén y añada poco a poco el quingombó para saltearlo a fuego lento entre 10 y 12 minutos.

8 Pase el salteado a los platos y sirva de inmediato.

Pan, legumbres y cereales

Los panes indios más comunes son los chapatis, los parathas y los pooris, que se cuecen casi a diario en la mayoría de los hogares de la India. Se preparan en porciones individuales y se sirven dos por persona.

El arroz es el compañero habitual de casi todas las comidas indias, y de ahí que se hayan creado infinidad de formas de cocinarlo. Sea cual sea el plato, los granos de arroz han de quedar secos y sueltos, bien hechos pero enteros. De las distintas variedades que existen, el arroz basmati es el mejor, porque se cuece muy bien y ofrece siempre excelentes resultados.

En la India hay al menos 30 tipos diferentes de lentejas, pero las más corrientes son las llamadas moong, masoor, chana y urid. Ricas en proteínas, son el acompañamiento ideal de los currys de verduras, aunque también están deliciosas con cualquier tipo de carne.

dal al limón

para 4 personas

100 g de masoor dal

1 cdta. de jengibre fresco bien
    picado

1 diente de ajo majado

1 cdta. de guindilla en polvo

½ cdta. de cúrcuma molida

450 ml de agua

1 cdta. de sal

3 cdas. de zumo de limón

2 guindillas verdes frescas

¼ ramito de cilantro picado

BAGHAAR

150 ml de aceite vegetal

4 dientes de ajo enteros

6 guindillas rojas secas

1 cdta. de semillas de comino blanco

1 limón en rodajas, para decorar

1 Enjuague las dal 2 veces debajo del grifo para eliminar las piedras, y póngalas en una cacerola grande.

2 Añada el jengibre, el ajo, la guindilla en polvo y la cúrcuma. Vierta 300 ml de agua y lleve todo a ebullición a fuego medio sin tapar del todo la cacerola. Cueza durante 30 minutos o hasta que las dal estén tiernas para aplastarlas.

3 Retire la cacerola del fuego y triture las dal en un pasapurés. Agregue la sal, el zumo de limón y el resto del agua, y remueva hasta obtener una mezcla homogénea.

4 Retire las pepitas a las guindillas verdes y córtelas en rodajas muy finas. Incorpórelas a la cacerola con el cilantro y mantenga caliente.

5 Para hacer el baghaar, caliente el aceite en una sartén y fría el ajo, las guindillas rojas y las semillas de comino durante 1 minuto. Apague el fuego y vierta el baghaar por encima de las dal. Si queda demasiado líquido, ponga a cocer 3 o 5 minutos más sin la tapa y a fuego medio.

6 Pase las dal a una fuente y decore con rodajas de limón. Sirva caliente.

NOTA

Este plato es ideal para acompañar el *Korma de vacuno con almendras* (pág. 56).

dal con albóndigas

para 6-8 personas

200 g de masoor dal

950 ml de agua

1 cdta. de jengibre fresco picado

1 diente de ajo majado

½ cdta. de cúrcuma molida

1½ cdtas. de guindilla en polvo

1½ cdtas. de sal

3 cdas. de zumo de limón

hamburguesas de carne de vacuno
  (pág. 55)

BAGHAAR

150 ml de aceite vegetal

3 dientes de ajo enteros

4 guindillas rojas secas

1 cdta. de semillas de comino blanco

PATATAS CHIPS

2 patatas ralladas en virutas

300 ml de aceite vegetal

1 pizca de sal

PARA DECORAR

3 guindillas verdes frescas picadas

¼ ramito de cilantro picado

1 Enjuague las dal 2 veces debajo del grifo para eliminar las piedras, póngalas en una cacerola y cúbralas con 600 ml de agua. Añada el jengibre, el ajo, la cúrcuma y la guindilla en polvo, y cueza 20 minutos o hasta que las dal estén tiernas. Añada la sal y remueva.

2 Retire la cacerola del fuego, triture las dal en un pasapurés y páselas por un colador. Añada el zumo de limón y el resto del agua, y pase todo a una cacerola limpia. Lleve la mezcla a ebullición y déjela hervir a fuego lento. Reserve.

3 Para hacer las albóndigas, siga la receta de las *Hamburguesas de vacuno* de la página 55, pero en vez de círculos planos amase bolas pequeñas. Sumerja con cuidado las albóndigas en la mezcla de dal y mantenga caliente.

4 Para preparar el baghaar, caliente el aceite en una sartén y fría el ajo, las guindillas rojas y el comino durante 2 minutos. Vierta el baghaar por encima de las dal y mezcle bien.

5 Para hacer las patatas chips, sale las virutas de patata. Caliente el aceite en una sartén y fríalas, dándoles la vuelta de vez en cuando, hasta que estén crujientes. Decore las albóndigas con las patatas chips, las guindillas verdes y el cilantro picado.

frijoles de ojo negro a la cazuela

para 4 personas

150 g de frijoles de ojo negro secos

300 ml de aceite vegetal

2 cebollas cortadas en rodajas

1 cdta. de jengibre fresco picado

1 diente de ajo majado

1 cdta. de guindilla en polvo

1½ cdtas. de sal

1½ cdtas. de cilantro molido

1½ cdtas. de comino molido

150 ml de agua

2 guindillas rojas frescas cortadas
en tiras

½ ramito de cilantro picado

1 cda. de zumo de limón

1 Enjuague los frijoles debajo del grifo y déjelos en remojo toda la noche en un bol lleno de agua.

2 Póngalos en una cacerola llena de agua y llévelos a ebullición. Baje el fuego y cuézalos a fuego lento durante 30 minutos. Luego, escúrralos bien y reserve.

3 Caliente el aceite en otra cacerola y fría las cebollas hasta que estén doradas. Añada el jengibre, el ajo, la guindilla en polvo, la sal, el cilantro molido y el comino molido, y saltee entre 3 y 5 minutos.

4 Vierta el agua, tape la cacerola y cueza hasta que se evapore toda el agua.

5 Incorpore los frijoles cocidos, las guindillas rojas y el cilantro, y remueva bien para que se mezcle todo. Saltee entre 3 y 5 minutos.

6 Pase los frijoles de ojo negro a una fuente y rocíe por encima el zumo de limón. Sirva caliente o frío.

NOTA

Los frijoles de ojo negro son ovalados, de color gris o beige y tienen un punto negro en el centro. Su sabor es ahumado y se venden en conserva y secos.

lentejas blancas

100 g de urid dal

1 cdta. de jengibre fresco bien
   picado

625 ml de agua

1 cdta. de sal

1 cdta. de pimienta molida gruesa

2 cdas. de ghee

2 dientes de ajo pelados y enteros

2 guindillas rojas frescas picadas

hojas de hierbabuena fresca,
   para decorar

1 Enjuague las dal 2 veces debajo
   del grifo para eliminar las piedras.

2 Ponga las dal y el jengibre en una
   cacerola grande.

3 Añada el agua, tape, lleve a ebullición y cueza a fuego medio unos
30 minutos. Compruebe si las dal están
hechas presionando una entre el dedo
índice y el pulgar. Si ve que aún están
un poco duras por el centro, cueza
entre 5 y 7 minutos más. Si es necesario, quite la tapa y cueza hasta que el
resto del agua se haya evaporado.

4 Añada la sal y la pimienta, mezcle
   bien y reserve.

5 Caliente el ghee en una sartén
   y fría los dientes de ajo y las guindillas rojas. Remueva bien para que se
mezcle todo.

6 Vierta el ajo y la guindilla por
   encima de las dal y decore con
las hojas de hierbabuena.

7 Pase las lentejas blancas a los
   platos y sírvalas calientes.

cazuela de moong dal

para 4 personas

150 g de moong dal

1 cdta. de jengibre fresco bien
   picado

½ cdta. de comino molido

½ cdta. de cilantro molido

1 diente de ajo majado

½ cdta. de guindilla en polvo

625 ml de agua

1 cdta. de sal

BAGHAAR

100 g de mantequilla

5 guindillas rojas secas

1 cdta. de semillas de comino blanco

1 Enjuague las dal 2 veces debajo del grifo para eliminar las piedras.

2 Ponga las dal en una cacerola. Añada el jengibre, el comino, el cilantro, el ajo y la guindilla en polvo, y remueva para mezclarlo todo bien.

3 Cubra la mezcla de dal con agua, ponga a cocer a fuego medio 20 minutos, removiendo de vez en cuando, hasta que las dal estén tiernas pero enteraas.

4 Añada la sal y siga removiendo. Pase a una fuente y manténgala caliente.

5 Mientras, prepare el baghaar. Funda la mantequilla en un cazo y saltee las guindillas rojas secas y las semillas de comino hasta que empiecen a chisporrotear.

6 Vierta el baghaar por encima de las dal y sirva caliente.

NOTA
Las guindillas rojas secas añaden picante a un plato de forma rápida.

chana dal con arroz

para 6 personas

100 g de chana dal

450 g de arroz basmati

4 cdas. de ghee

2 cebollas cortadas en rodajas

1 cdta. de jengibre fresco bien
   picado

1 diente de ajo majado

½ cdta. de cúrcuma molida

2 cdtas. de sal

½ cdta. de guindilla en polvo

1 cdta. de garam masala (pág. 7)

5 cdas. de yogur natural

1,25 l de agua

150 ml de leche

1 cdta. de hebras de azafrán

3 cardamomos negros

3 semillas de comino negro

3 cdas. de zumo de limón

2 guindillas verdes frescas

¼ ramito de cilantro picado

1 Enjuague las dal 2 veces debajo del grifo para eliminar las piedras y déjelas 3 horas en remojo en un bol con agua. Enjuague el arroz y reserve.

2 Caliente el ghee en una sartén y saltee las cebollas hasta que estén doradas. Con una espumadera, saque la mitad de las cebollas junto con un poquito de ghee y páselas a un bol.

3 Añada el jengibre, el ajo, la cúrcuma, 1 cucharadita de sal, la guindilla en polvo y el garam masala a la sartén y saltee 5 minutos. Agregue el yogur y las dal junto con 150 ml de agua, y cueza tapado durante 15 minutos. Reserve.

4 Mientras, lleve la leche con el azafrán a ebullición y reserve.

5 Hierva el resto del agua y añada el resto de la sal, los cardamomos, las semillas de comino y el arroz. Cueza y remueva hasta que el arroz esté medio hecho. Luego, escurra y coloque encima de las dal la mitad de los siguientes ingredientes: cebolla frita, leche con azafrán, zumo de limón, guindillas verdes y cilantro. Ponga el arroz encima junto con las mitades reservadas de los ingredientes anteriores. Tape bien y cueza a fuego muy lento durante 20 minutos. Mezcle con una espumadera antes de servir.

dal con cebolla

para 4 personas

100 g de masoor dal

6 cdas. de aceite vegetal

1 ramito pequeño de cebolletas
recortadas y picadas, incluida la
parte verde

1 cdta. de jengibre fresco bien
picado

1 diente de ajo majado

½ cdta. de guindilla en polvo

½ cdta. de cúrcuma molida

300 ml de agua

1 cdta. de sal

PARA DECORAR

1 guindilla verde fresca bien picada

¼ ramito de cilantro picado

1 Enjuague las dal 2 veces para
eliminar las piedras y reserve.

2 Caliente el aceite en una sartén
y saltee las cebolletas hasta que
estén ligeramente doradas.

3 Baje el fuego, añada el jengibre,
el ajo, la guindilla en polvo y la
cúrcuma, y saltee todo junto.

4 Añada las dal y remueva bien
para que se mezcle todo.

5 Vierta el agua, baje el fuego
un poco más y cueza entre 20
y 25 minutos.

6 Cuando las dal estén bien hechas,
añada la sal y remueva con un
cucharón de madera suavemente para
que se mezcle todo bien.

7 Pase las dal a una fuente y decore
con la guindilla verde y el cilantro
bien picados. Sirva inmediatamente.

arroz frito con especias

para 4-6 personas

500 g de arroz basmati

1 cebolla cortada en rodajas

2 cdas. de ghee

1 cdta. de jengibre fresco bien
   picado

1 diente de ajo majado

1 cdta. de sal

1 cdta. de semillas de comino negro

3 clavos de especia

3 cardamomos verdes

2 ramas de canela

4 granos de pimienta

¾ l de agua

1 Enjuague el arroz a conciencia debajo del grifo.

2 Funda el ghee en una sartén grande y saltee la cebolla hasta que esté dorada.

3 Añada el jengibre, el ajo y la sal, y remueva bien para que se mezcle todo.

4 Agregue el arroz, las semillas de comino, los clavos, los cardamomos, la canela y la pimienta, y saltee entre 3 y 5 minutos.

NOTA

Los granos de cardamomo contienen muchas semillas diminutas de color negro, sabor picante y aroma intenso. Se dice que los mejores son los cardamomos verdes, porque además de tener un sabor muy delicado, son muy digestivos. En la India, la gente los mastica crudos después de comer currys muy picantes para facilitar la digestión y neutralizar el mal aliento.

5 Vierta el agua y lleve todo a ebullición. Baje el fuego, tape y cueza hasta que el arroz esté tierno.

6 Escurra el arroz y páselo a una fuente. Sirva inmediatamente.

espinacas con chana dal

para 4-6 personas

4 cdas. de chana dal

6 cdas. de aceite vegetal

½ cdta. de semillas de cebolla

½ cdta. de granos de mostaza

4 guindillas rojas secas

400-450 g de espinacas
   descongeladas y escurridas

1 cdta. de jengibre fresco bien
   picado

1 cdta. de cilantro molido

1 cdta. de comino molido

1 cdta. de sal

1 cdta. de guindilla en polvo

2 cdas. de zumo de limón

1 guindilla verde fresca, para decorar

1 Enjuague las dal 2 veces debajo del grifo y póngalas en remojo en un bol de agua tibia 3 horas, o toda la noche si es posible.

NOTA

Muy parecidas a las moong dal (guisantes amarillos partidos), las chana dal presentan un aspecto menos lustroso. Se usan como aglutinante y se compran en tiendas de comida asiática.

2 Ponga las dal en una cacerola, cúbralas con agua y hiérvalas durante 30 minutos.

3 Caliente el aceite en una sartén y fría la cebolla, la mostaza y las guindillas rojas secas. Remueva bien hasta que se oscurezcan un poco.

4 Añada las espinacas escurridas y remueva para mezclar todo.

5 Añada el jengibre, el cilantro molido, el comino, la sal y la guindilla en polvo. Baje el fuego y saltee la mezcla a fuego lento entre 7 y 10 minutos.

6 Incorpore las dal y mézclelas con las espinacas, removiendo con cuidado, procurando que no se desmenucen.

7 Rocíe el zumo de limón por encima, decore con la guindilla verde y sirva inmediatamente.

dal al aceite

para 4 personas

75 g de masoor dal

50 g de moong dal

450 ml de agua

1 cdta. de jengibre fresco bien
   picado

1 diente de ajo majado

2 guindillas rojas frescas picadas

1 cdta. de sal

BAGHAAR

2 cdas. de ghee

1 cebolla cortada en rodajas

½ cdta. de granos de mostaza

½ cdta. de semillas de cebolla

1 Enjuague las dal 2 veces debajo del grifo para eliminar las piedras.

2 Póngalas en un cazo grande, vierta el agua por encima y remueva bien. Añada el jengibre, el ajo y las guindillas rojas, lleve a ebullición y hierva a fuego medio entre 15 y 20 minutos, medio destapado, hasta que las dal estén tiernas.

3 Retire el cazo del fuego y triture las dal con un pasapurés. Añada más agua si es necesario para obtener una salsa espesa.

4 Sazone con sal y remueva bien. Pase las dal a una fuente refractaria y manténgala caliente.

NOTA

Este plato es ideal como guarnición, sobre todo de currys secos de verduras o currys de carne. Se congela muy bien y basta con calentar en una sartén o meter en el horno antes de servir.

5 Justo antes de servir, funda el ghee en una sartén pequeña y saltee la cebolla hasta que esté dorada. Añada la mostaza y las semillas de cebolla, y remueva bien.

6 Vierta la mezcla de cebolla por encima de las dal mientras están calientes y sirva inmediatamente.

lentejas con arroz y especias

para 4 personas

200 g de arroz basmati

175 g de masoor dal

2 cdas. de ghee

1 cebolla pequeña

1 cdta. de jengibre fresco picado

1 diente de ajo majado

½ cdta. de cúrcuma molida

625 ml de agua

1 cdta. de sal

chutney (págs. 223-227),
    para acompañar

NOTA

Muchas recetas indias especifican el uso de ghee como grasa culinaria. Muy parecido a la mantequilla clarificada, se puede calentar a altas temperaturas sin quemarse. El ghee aporta cierto sabor a nueces a las comidas y un toque brillante a las salsas. Se puede comprar en latas y existe, además, una versión vegetariana. Guarde a temperatura ambiente o en el frigorífico.

1 Mezcle el arroz y las dal, enjuague todo 2 veces debajo del grifo, frotándolo entre las manos para eliminar las piedras, y reserve.

2 Corte la cebolla en rodajas, caliente el ghee en una sartén grande y saltéela durante 2 minutos.

3 Baje el fuego, agregue el jengibre, el ajo y la cúrcuma y saltee 1 minuto más.

VARIANTE

En esta receta, puede usar masoor dal en vez de moong dal.

4 Añada el arroz y las dal, y remueva con cuidado para que se mezcle todo bien.

5 Agregue el agua y lleve a ebullición. Baje el fuego y cueza, tapado, entre 20 y 25 minutos.

6 Justo antes de servir, sazone con la sal y vuelva a remover.

7 Sirva inmediatamente en los platos acompañado del chutney que prefiera.

arroz pilaf

para 2-4 personas

200 g de arroz basmati

2 cdas. de ghee

3 cardamomos verdes

2 clavos de especia

3 granos de pimienta

½ cdta. de sal

½ cdta. de hebras de azafrán

450 ml de agua

1 Enjuague el arroz 2 veces debajo del grifo y reserve.

2 Caliente el ghee en una cacerola y saltee los cardamomos, los clavos y los granos de pimienta durante 1 minuto, sin dejar de remover.

3 Añada el arroz y saltee durante 2 minutos más.

4 Agregue la sal, el azafrán y el agua, y baje el fuego. Tape la cacerola y hierva a fuego lento hasta que se evapore toda el agua.

5 Pase a una fuente y sirva caliente.

NOTA

El azafrán en hebras, la especia más cara, procede de los estambres secos de una flor. No sólo aporta ricas tonalidades doradas a los platos, sino que los impregna de un ligero regusto amargo característico. Se vende en polvo o en hebras. Las hebras son más caras, pero su sabor es inigualable. Algunos libros proponen sustituirlo por cúrcuma molida, pero aunque el color es parecido, el sabor es incomparable.

arroz con tomate y pimientos

para 4 personas

400 g de arroz basmati

2 cdas. de ghee o aceite vegetal

¼ cdta. de semillas de cebolla

¼ cdta. de semillas de cebolla negra

1 cebolla cortada en rodajas finas

1 pimiento amarillo sin pepitas
   y cortado en rodajas

4 tomates cortados en rodajas

1 patata cortada en dados

1 cdta. de pasta de ajo (pág. 7)

1 cdta. de pasta de jengibre
   (pág. 7)

1 cdta. de guindilla en polvo

80 g de habas o guisantes
   descongelados

1 cda. de cilantro picado

750 ml de agua

ramitas de cilantro, para decorar

1 Enjuague el arroz varias veces y déjelo en remojo durante unos 10 minutos.

2 Mientras, caliente el ghee en una cacerola grande de fondo pesado y saltee los dos tipos de semillas de cebolla durante 1 o 2 minutos, o hasta que desprendan su aroma. Añada las rodajas de cebolla y saltee, removiendo de vez en cuando, unos 5 minutos o hasta que estén tiernas. Escurra el arroz.

3 Añada el pimiento amarillo, los tomates, la patata, las pastas de ajo y jengibre, y la guindilla en polvo, y siga salteando y removiendo 3 minutos más. Incorpore las habas y el cilantro, sazone con sal al gusto y saltee 2 minutos más, sin dejar de remover.

4 Incorpore el arroz y remueva hasta que los granos brillen y los ingredientes estén bien mezclados. Vierta el agua y lleve todo a ebullición a fuego vivo. Tape bien, baje el fuego y hierva 15 minutos.

5 Retire la cacerola del fuego y deje reposar, tapado, 5 minutos. Sirva decorado con ramitas de cilantro.

NOTA

La palabra *basmati* significa fragante en hindi, de ahí el nombre de este tipo de arroz tan aromático. Pero si quiere, puede usar también otras variedades de arroz de grano largo.

arroz integral con frutas y frutos secos

para 4-6 personas

4 cdas. de ghee o aceite vegetal

1 cebolla grande picada

2 dientes de ajo majados

1 trozo de jengibre fresco de 2,5 cm
   bien picado

1 cdta. de guindilla en polvo

1 cdta. de semillas de comino

1 cda. de curry suave o semipicante
   en polvo o en pasta

300 g de arroz integral

950 ml de caldo de verduras

500 g de tomates en conserva
   picados

sal y pimienta

175 g de orejones de albaricoque
   o melocotón cortados en láminas
   finas

1 pimiento rojo sin pepitas y cortado
   en dados

100 g de guisantes congelados

1-2 bananas pequeñas y algo verdes

60-100 g de frutos secos tostados

1 Caliente el ghee en una sartén grande y fría la cebolla 3 minutos.

2 Agregue el ajo, el jengibre, la guindilla en polvo, las semillas de comino, el curry en polvo y el arroz. Saltee y remueva durante 2 minutos hasta que el arroz se haya impregnado bien de especias.

3 Vierta el caldo hirviendo y remueva para mezclar bien. Añada los tomates y salpimiente al gusto. Lleve la mezcla a ebullición, baje el fuego y hierva, tapado, unos 40 minutos o hasta que el arroz esté casi hecho y haya embebido casi toda el agua.

4 Añada los albaricoques, el pimiento rojo y los guisantes. Tape y siga cociendo 10 minutos más.

5 Retire la sartén del fuego y deje reposar 5 minutos sin tapar.

6 Pele y corte las bananas en rodajas. Destape el arroz y remueva con un tenedor para mezclarlo todo bien. Añada los frutos secos tostados y las rodajas de banana, y remueva un poco más.

7 Pase el arroz, la fruta y los frutos secos a una fuente y sirva.

cordero biryani

para 6 personas

150 ml de leche

1 cdta. de hebras de azafrán

5 cdas. de ghee

3 cebollas cortadas en rodajas

1 kg carne magra de cordero cortado en dados

7 cdas. de yogur natural

1½ cdtas. de jengibre fresco bien
picado

1-2 dientes de ajo majados

2 cdtas. de garam masala (pág. 7)

2 cdtas. de sal

¼ cdta. de cúrcuma molida

625 ml de agua

450 g de arroz basmati

2 cdtas. de semillas de comino negro

3 cardamomos

4 cdas. de zumo de limón

2 guindillas verdes frescas

¼ ramito de cilantro picado

1 Mezcle la leche con el azafrán, llévela a ebullición en un cazo y reserve. Caliente el ghee en una cacerola y fría las cebollas hasta que estén doradas. Saque la mitad de las cebollas con un poco de ghee y páselo a un bol.

2 En un bol grande, mezcle el ajo, la carne, el yogur, el jengibre, el garam masala, 1 cucharadita de sal y la cúrcuma.

3 Vuelva a poner la cacerola con las cebollas al fuego. Añada la carne y remueva durante 3 minutos. Vierta el agua y cueza a fuego lento 45 minutos más, removiendo de vez en cuando. Compruebe si la carne está tierna. Si no es así, añada 150 ml de agua y siga cociendo 15 minutos más. Cuando se haya evaporado toda el agua, saltee 2 minutos más y reserve.

4 Mientras, ponga el arroz en otra cacerola. Añada las semillas de comino, los cardamomos, el resto de la sal y suficiente agua para cocer, y cueza todo a fuego medio hasta que el arroz esté medio hecho. Escurra, saque la mitad del arroz y páselo a un bol.

5 Con una cuchara, ponga la carne sobre el arroz en la cacerola. Añada la mitad de la leche con azafrán, del zumo de limón, de las guindillas y del cilantro, luego las cebollas y el ghee reservados. Incorpore el resto del arroz y de los ingredientes anteriores. Tape y cueza a fuego lento entre 15 y 20 minutos o hasta que el arroz esté hecho. Remueva bien y sirva caliente.

> **VARIANTE**
>
> Si lo prefiere, puede usar pollo
> en vez de cordero.

pilaf de gambas

para 4 personas

450 g de gambas congeladas

150 ml de leche

½ cdta. de hebras de azafrán

1 cdta. de guindilla en polvo

1 cdta. de semillas de alcaravea

2 ramas de canela

2 cardamomos verdes

2 cebollas cortadas en rodajas

2 hojas de laurel

1 cdta. de jengibre fresco bien

    picado

1 cdta. de sal

450 g de arroz basmati

5 cdas. de ghee

4 cdas. de zumo de limón

½ ramito de hierbabuena fresca

1 Ponga las gambas en un bol de agua fría durante 2 horas para descongelarlas.

2 Lleve la leche a ebullición en un cazo, añada el azafrán y reserve.

3 En un mortero, mezcle la guindilla en polvo, las semillas de alcaravea, la canela, los cardamomos verdes, la mitad de la cebolla, el laurel, el jengibre y la sal. Maje todo hasta obtener una pasta homogénea y reserve.

4 Ponga el arroz en una cacerola con agua hirviendo y, cuando esté medio hecho, retire del fuego, escurra y reserve.

5 Caliente el ghee en una sartén y saltee el resto de la cebolla hasta que esté dorada. Pásela a un bol y añada el zumo de limón y la hierbabuena.

6 Añada la pasta de especias y las gambas, y saltee 5 minutos. Saque las gambas y las especias con una espumadera y páselas a un bol.

7 Ponga la mitad del arroz en la sartén, vierta por encima la mezcla de gambas y, encima de éstas, la mitad de la mezcla de zumo de limón con cebolla y hierbabuena, y la mitad de la leche con azafrán. Coloque la otra mitad del arroz encima de todo junto con el resto de los ingredientes.

8 Tape y cueza a fuego lento entre 15 y 20 minutos, y mezcle todo bien antes de servir.

pollo biryani

para 6 personas

1½ cdtas. de jengibre fresco bien
  picado

1-2 dientes de ajo majados

1 cda. de garam masala (pág. 7)

1 cdta. de guindilla en polvo

½ cdta. de cúrcuma molida

20 semillas de cardamomo majadas

300 g de yogur natural

2 cdtas. de sal

1,5 kg de pollo sin piel y cortado
  en dados

150 ml de leche

1 pizca de hebras de azafrán

6 cdas. de ghee

2 cebollas cortadas en rodajas

450 g de arroz basmati

2 ramas de canela

4 granos de pimienta negra

1 cdta. de semillas de comino
  negro

4 guindillas verdes frescas

½ ramito de cilantro bien picado

4 cdas. de zumo de limón

1 En un bol, mezcle el jengibre, el
ajo, el garam masala, la guindilla
en polvo, la cúrcuma, los cardamomos,
el yogur y 1 cucharadita de sal. Añada
el pollo procurando que se impregne
bien de especias y deje enfriar 3 horas.

2 Lleve la leche a ebullición en un
cazo. Ponga el azafrán en un bol,
vierta la leche hirviendo y reserve.

3 Caliente el ghee en una cacerola
grande de fondo pesado y saltee
las cebollas hasta que estén doradas.
Saque la mitad con un poco de ghee y
reserve.

4 Ponga el arroz, la canela, la
pimienta y las semillas de comino
en una cazuela con agua. Lleve a ebullición y retire la cazuela del fuego
cuando el arroz esté medio hecho.
Escurra, pase a un bol y agregue la
otra cucharadita de sal.

5 Corte las guindillas. Ponga el pollo
en la cacerola con las cebollas,
añada la mitad de las guindillas, del
cilantro, del zumo de limón y de la leche
con azafrán, agregue el arroz, y la otra
mitad de los ingredientes anteriores,
incluida la cebolla frita. Tape y cueza
a fuego lento 1 hora. Compruebe si el
pollo está bien hecho antes de servir.

pilaf de verduras

para 4-6 personas

2 patatas

1 berenjena

200 g de zanahorias

50 g de judías verdes

4 cdas. de ghee

2 cebollas cortadas en rodajas

175 g de yogur natural

2 cdtas. de jengibre fresco bien
   picado

2 dientes de ajo majados

2 cdtas. de garam masala (pág. 7)

2 cdtas. de semillas de comino negro

½ cdta. de cúrcuma molida

3 cardamomos negros

2 ramas de canela

2 cdtas. de sal

1 cdta. de guindilla en polvo

300 ml de leche

½ cdta. de hebras de azafrán

600 g de arroz basmati

5 cdas. de zumo de limón

1 Pele y corte las patatas en 6 trozos; corte la berenjena en 6 trozos; pele y corte en rodajas las zanahorias, y corte las judías verdes en trozos. Caliente el ghee en una sartén y fría las patatas, la berenjena, las zanahorias y las judías, dándoles la vuelta con una espátula. Saque todo de la sartén y reserve.

2 Ponga las cebollas en la sartén y saltéelas hasta que estén tiernas. Agregue el yogur, el jengibre, el ajo, el garam masala, 1 cucharadita de semillas de comino, la cúrcuma, un cardamomo, 1 rama de canela, 1 cucharadita de sal y la guindilla en polvo, y saltee entre 3 y 5 minutos. Vuelva a poner las verduras en la sartén y saltee 4 o 5 minutos más.

3 Lleve la leche a ebullición en un cazo y añada el azafrán. En una cacerola aparte, cueza el arroz en agua hirviendo hasta que esté medio hecho junto con el resto de la sal, de la canela, de los cardamomos y de las semillas de comino. Escurra el arroz, deje una mitad en la cacerola y pase la otra a un bol.

4 Añada la mezcla de verduras al arroz que está en la cacerola. Vierta encima la mitad del zumo de limón y de la leche con azafrán, cubra con el resto del arroz y vierta lo que queda de limón y de la leche con azafrán encima. Tape y vuelva a poner al fuego. Cueza a fuego lento durante 20 minutos y sirva caliente.

arroz con tomate

para 4 personas

150 ml de aceite vegetal

2 cebollas cortadas en rodajas

1 cdta. de semillas de cebolla

1 cdta. de jengibre fresco bien
   picado

1 diente de ajo majado

½ cdta. de cúrcuma molida

1 cdta. de guindilla en polvo

1½ cdtas. de sal

500 g de tomates en conserva

450 g de arroz basmati

625 ml de agua

1 Caliente el aceite en una cacerola grande y fría en ella las cebollas hasta que estén doradas.

2 Añada las semillas de cebolla, el jengibre, el ajo, la cúrcuma, la guindilla en polvo y la sal, y remueva para que se mezcle todo bien.

3 Baje el fuego, agregue los tomates y desmenúcelos mientras los saltea durante 10 minutos.

4 Incorpore el arroz y remueva suavemente para que se impregne bien de la mezcla.

5 Vierta el agua y siga removiendo. Tape la cacerola y cueza a fuego lento hasta que se embeba toda el agua y el arroz esté hecho.

6 Pase el arroz con tomate a una fuente caliente y sirva de inmediato.

NOTA

Las semillas de cebolla se usan siempre enteras en la cocina india. Se emplean a menudo para espolvorear por encima el pan naan (pág. 177). Por extraño que parezca, no guardan relación alguna con las cebollas, pero se parecen a sus semillas, de ahí su nombre.

pan naan

para 6-8 personas

1 cdta. de azúcar

1 cdta. de levadura fresca

150 ml de agua tibia

170 g de harina, y un poco más
   para espolvorear

1 cda. de ghee

1 cdta. de sal

50 g de mantequilla fundida

1 cdta. de semillas de amapola

1 Ponga el azúcar y la levadura en
un bol pequeño, agregue agua
tibia y mezcle bien hasta que la levadura se disuelva del todo. Luego, deje
reposar 10 minutos hasta que la mezcla quede espumosa.

2 Ponga la harina en un bol grande.
Haga un hueco en el centro y
ponga dentro el ghee y la sal. Añada
la mezcla de levadura y amase bien.
Agregue el agua que sea necesaria.

3 Coloque la masa sobre una superficie enharinada y trabaje durante
5 minutos o hasta que adquiera una
textura homogénea.

4 Vuelva a poner la masa en el bol,
tape y deje en un lugar caliente
durante 1½ horas hasta que suba o
hasta que doble su tamaño.

5 Precaliente el grill a fuego fuerte.
Coloque la masa sobre una superficie enharinada y trabájela 2 minutos.
Divídala en bolitas con las manos y
aplástelas para formar círculos de unos
13 cm de diámetro y 1 cm de grosor.

6 Ponga los círculos en una hoja
de papel de aluminio engrasado
y cuézalos 7 o 10 minutos, dándoles
dos veces la vuelta. Píntelos con la
mantequilla y espolvoréelos con las
semillas de amapola.

7 Sirva el pan caliente en el momento, o déjelo envuelto en papel de
aluminio hasta que lo vaya a tomar.

NOTA

Los hornos tandoor alcanzan
temperaturas muy altas; el pan
naan se suele cocer junto a la
pared lateral del horno, donde
el calor es algo menor que en el
centro. Para lograr un toque
auténtico, deje el grill encendido
bastante tiempo antes de
introducir la primera tanda de pan.

parathas

para 12 unidades

260 g de harina de trigo integral
 (urid dal [ata] o de chapati), y un
 poco más para espolvorear
40 g de harina común
sal
2 cdas. de ghee fundido

NOTA

Con una espátula o una cuchara
plana, aplaste un poco los
parathas mientras los hace
para que se tuesten bien por
ambos lados.

1 Tamice la harina de trigo integral
 y la común en un bol grande con
1 pizca de sal. Haga un hueco en
el centro y añada 2 cucharaditas de
ghee. Amase con los dedos y añada
gradualmente bastante agua fría hasta
conseguir una masa homogénea. Tape
con film transparente y deje reposar al
menos 30 minutos.

2 Divida la masa en 12 partes iguales
 y forme una bola con cada una.
Mientras trabaje con una, mantenga
tapadas las demás para que no se
sequen. Estire la primera masa sobre
una superficie enharinada hasta formar
un círculo de 10 cm de diámetro y úntelo con ghee. Dóblelo por la mitad,
vuelva a untarlo de ghee y doble otra
vez por la mitad. Hay dos opciones:
formar bolas de 18 cm o triángulos de
15 cm. Haga lo mismo con las demás
bolas y vaya apilándolas intercaladas
con hojas de film transparente.

3 Caliente una sartén de fondo
 pesado o una plancha. Ponga
1 o 2 parathas al mismo tiempo.
Espere 1 minuto, deles la vuelta con
una espátula y espere 2 minutos más.
Úntelos con ghee, gírelos y espere
hasta que estén dorados. Unte la parte
de arriba con ghee, deles de nuevo la
vuelta y espere a que estén dorados.
Manténgalos calientes mientras hace
el resto de los parathas siguiendo el
mismo procedimiento.

parathas rellenos de verduras

para 4-6 personas

MASA

180 g de harina de trigo integral
   (urid dal [ata] o de chapati)

½ cdta. de sal

200 ml de agua

150 g de ghee, y un poco más para
   envolver los rollitos y freír

RELLENO

3 patatas peladas

½ cdta. de cúrcuma molida

1 cdta. de garam masala (pág. 7)

1 cdta. de jengibre fresco bien
   picado

¼ ramito de cilantro picado

3 guindillas verdes frescas

1 cdta. de sal

1 Para los parathas, mezcle la harina, la sal, el agua y el ghee en un bol hasta obtener una masa homogénea.

2 Divida la masa en 8 o 12 partes iguales y extiéndalas sobre una superficie enharinada. Unte el centro con ½ cucharadita de ghee, dóblelas por la mitad, enróllelas hasta formar un brazo y aplástelas entre las palmas de las manos. Finalmente, envuélvalas alrededor de un dedo para formar un rollito. Vuelva a extenderlas, añadiendo harina siempre que sea necesario, y forme círculos de 18 cm de diámetro.

3 Para el relleno, corte las patatas en trozos, póngalas en una cacerola llena de agua y hiérvalas hasta que estén lo bastante tiernas como para pasarlas por el pasapurés. Retire la cacerola del fuego y haga el puré de patatas.

4 Mezcle la cúrcuma, el jengibre, el garam masala, el cilantro, las guindillas bien picadas y la sal en un bol.

5 Añada la mezcla de especias al puré de patatas y mezcle todo bien. Extienda 1 cucharada de esta mezcla de patatas especiadas en una mitad de los círculos de masa, tape con la otra mitad y selle bien los bordes.

6 Caliente 2 cucharaditas de ghee en una sartén de fondo pesado. Ponga los parathas con cuidado en la sartén, por tandas, y muévalos con una cuchara plana hasta que estén dorados.

7 Saque los parathas de la sartén y sírvalos inmediatamente.

pan frito

para 5 personas

180 g de harina de trigo integral
(urid dal [ata] o de chapati), y un
poco más para espolvorear

½ cdta. de sal

1 cda. de ghee, y un poco más
para freír

300 ml de agua

NOTA

En la India, el pan se cuece en la
tradicional *tava*, que es una
plancha plana, pero cualquier
sartén grande sirve igual.

1 Ponga la harina de trigo integral y
la sal en un bol grande y remueva
bien para mezclar todo.

2 Haga un hueco en el centro de la
harina, añada el ghee y mezcle.
Vierta el agua poco a poco y amase
hasta formar una masa homogénea.
Déjela reposar 10 o 15 minutos.

3 Trabaje la masa con movimientos
suaves entre 5 y 7 minutos, y
divídala en 10 porciones iguales.

4 Extiéndalas sobre una superficie
enharinada y trabájelas hasta
formar una crêpe plana con cada una.

5 Con un cuchillo afilado, trace
líneas cruzadas en la superficie
de cada porción de masa.

6 Caliente una sartén de fondo
pesado y coloque en ella, con
cuidado, las porciones de masa, una
por una.

7 Tueste el pan 1 minuto, dele la
vuelta y úntelo con 1 cucharadita
de ghee. Gírelo de nuevo y siga tostán-
dolo, moviéndolo por la sartén con una
espátula hasta que esté dorado. Vuelva
a darle la vuelta, sáquelo de la sartén y
manténgalo caliente mientras cocina el
resto de los panes.

pan de garbanzos

para 4-6 personas

80 g de harina de trigo integral
(urid dal [ata] o de chapati), y
un poco más para espolvorear

75 g de besan (harina de garbanzos)

½ cdta. de sal

1 cebolla pequeña

¼ ramito de cilantro muy picado

2 guindillas verdes frescas picadas

150 ml de agua

2 cdtas. de ghee

1 Tamice las harinas de trigo integral y de garbanzos juntas en un bol grande. Añada la sal y mezcle bien.

2 Corte la cebolla en rodajas finas y añádalas a la harina junto con el cilantro y las guindillas. Mezcle bien.

3 Añada el agua y remueva hasta formar una masa homogénea. Tape y deje reposar 15 minutos.

4 Trabaje la masa de 5 a 7 minutos.

5 Divídala en 8 porciones iguales.

6 Extienda las porciones sobre una superficie ligeramente enharinada y forme círculos de unos 18 cm de diámetro con cada una de ellas.

7 Ponga los círculos de uno en uno en la sartén y tuéstelos a fuego medio, dándoles 3 veces la vuelta y untándolos con ghee cada vez. Pase los panes a los platos y sirva caliente.

NOTA

El besan es una harina amarilla pálida hecha de garbanzos molidos, de ahí que también se conozca como harina de garbanzos. En la India, se usa para hacer panes, bhajias y rebozados, y también para espesar salsas y estabilizar el yogur. Guárdela en un recipiente hermético en un lugar fresco y protegido de la luz.

pooris

para 10 personas

180 g de harina de trigo integral
(urid dal [ata] o de chapati)

½ cdta. de sal

150 ml de agua

625 ml de aceite vegetal, y un poco
más para untar

1 Ponga la harina y la sal en un bol
grande y mezcle bien.

2 Haga un hueco en el centro de la
harina y vierta el agua. Remueva
hasta formar una masa homogénea y
añada cuanta agua sea necesaria.

3 Trabaje la masa hasta que quede
uniforme y elástica, y déjela reposar en un lugar cálido 15 minutos.

NOTA

Si lo prefiere, haga los pooris con
antelación, envuélvalos en papel
de aluminio y recaliéntelos en el
horno 10 minutos antes de servir.

4 Divida la masa en 10 porciones
iguales y, con las manos ligeramente impregnadas de aceite, trabaje cada
una hasta formar bolas lisas.

5 Extienda las bolas sobre una
superficie engrasada y forme
círculos finos.

6 Caliente el aceite en una sartén
profunda y fría los círculos poco
a poco, dándoles la vuelta una vez
hasta que estén dorados por ambos
lados.

7 Saque los pooris de la sartén y
déjelos escurrir sobre papel de
cocina. Sírvalos calientes.

chapatis

para 5-6 personas

180 g de harina de trigo integral
(urid dal [ata] o de chapati), y
un poco más para espolvorear

½ cdta. de sal

200 ml de agua

1 Ponga la harina en un bol grande,
añada la sal y mezcle bien.

2 Haga un hueco en el centro de
la harina y vierta el agua poco
a poco, removiendo bien hasta formar
una masa suave y flexible.

3 Trabaje la masa de 7 a 10 minutos.
Lo ideal es dejar que repose entre
15 o 20 minutos, pero si anda escaso
de tiempo, extiéndala inmediatamente.
Divídala en 10 o 12 porciones iguales
y estírelas sobre una superficie bien
enharinada.

NOTA

Lo ideal es que los chapatis se
coman recién salidos de la
sartén, pero como no siempre es
posible, lo mejor es mantenerlos
calientes en papel de aluminio.
En la India, a veces se cuecen
directamente sobre una llama,
para que se inflen.
Sirva 2 por persona.

4 Ponga una sartén de fondo
pesado a fuego vivo y, cuando
empiece a salir humo, baje el fuego
a la mitad.

5 Ponga un chapati en la sartén y,
cuando empiece a inflarse, dele la
vuelta. Presiónelo con cuidado usando
un trapo limpio de cocina o una espátula de madera, y dele la vuelta de
nuevo. Sáquelo de la sartén y manténgalo caliente mientras hace los demás.

6 Siga el mismo procedimiento para
preparar el resto de chapatis.

Tentempiés y guarniciones

En la India, a la gente le encanta tomar el té sobre las 5 o las 6 de la tarde y servir pequeños tentempiés como los que proponemos en este capítulo. Se trata de aperitivos ideales para fiestas u otras reuniones, que sorprenden y ofrecen alternativas originales a los típicos cacahuetes o patatas fritas. Las recetas básicas son para 4 personas, pero puede aumentar las cantidades según el número de invitados. Hay guarniciones, como la Ensalada de pepino (pág. 210) o la Raita de menta (pág. 222), que aportan color y variedad a cualquier plato fuerte. La mayoría se prepara en muy poco tiempo, pero el sabor es siempre sublime. Ninguna debe prepararse en grandes cantidades, pues se sirven en porciones muy pequeñas: la variedad es mejor que la cantidad.

bhajias de cebolla

para unas 24 unidades

½ cdta. de semillas de cebolla

½ cdta. de semillas de comino

½ cdta. de semillas de hinojo

½ cdta. de semillas de cebolla negra

200 g de besan

1 cdta. de levadura en polvo

1 cdta. de cúrcuma molida

½ cdta. de guindilla en polvo

1 pizca de asafétida

sal

3 cebollas cortadas en rodajas finas

2 guindillas verdes frescas
    sin pepitas y bien picadas

3 cdas. de cilantro picado

aceite vegetal abundante, para freír

NOTA

No fría demasiadas bhajias a la vez; deje espacio suficiente en la freidora o la sartén para poder darles bien la vuelta. Sumérjalas lentamente en el aceite caliente con cuidado de no salpicar.

---

1 En una sartén, tueste unos segundos la cebolla, el comino, el hinojo y la cebolla negra, sin dejar de remover, hasta que desprendan su aroma. Retire la sartén del fuego y vierta las especias en un mortero. Májelas un poco y páselas a un bol grande.

2 Tamice en el bol el besan, la levadura, la cúrcuma, la guindilla en polvo, la asafétida y 1 pizca de sal, y añada las cebollas, las guindillas verdes y el cilantro. Mezcle todo bien y, luego, añada agua gradualmente hasta formar una pasta espesa.

3 En una freidora o una sartén honda, caliente el aceite a 180-190°C o hasta que un dado de pan se dore en 30 segundos. Eche cucharadas de pasta en el aceite caliente y fríalas hasta que se doren, dándoles la vuelta una sola vez. Saque las bhajias con una espumadera y déjelas escurrir sobre papel de cocina. Sírvalas calientes.

VARIANTE

Esta misma pasta puede usarse para hacer bhajias de otras verduras, como de coliflor o de champiñones cortados en láminas.

pakoras

para 4 personas

6 cdas. de besan

½ cdta. de sal

1 cdta. de guindilla en polvo

1 cdta. de levadura en polvo

1½ cdtas. de semillas de comino
blanco

1 cdta. de semillas de granada

300 ml de agua

¼ ramito de cilantro bien picado

verduras a elegir: coliflor cortada
en ramilletes pequeños; cebollas
en aros; patatas en rodajas;
berenjenas en rodajas, espinacas
frescas

aceite vegetal abundante, para freír

1 Tamice el besan en un bol grande.

2 Añada la sal, la guindilla en polvo, la levadura, las semillas de granada y el comino, y remueva para mezclar bien.

3 Vierta el agua y bata hasta formar una pasta homogénea.

4 Añada el cilantro picado, mezcle y reserve.

5 Sumerja las verduras en la pasta y retire el sobrante.

6 Caliente el aceite en una sartén grande de fondo pesado y fría, por tandas, las verduras rebozadas dándoles la vuelta una vez.

7 Siga el mismo procedimiento hasta usar toda la pasta.

8 Escurra las verduras rebozadas sobre papel de cocina y sirva inmediatamente.

NOTA

Al freír, es importante que el aceite tenga la temperatura correcta. Si está muy caliente, los alimentos (y también las especias) se queman por fuera pero quedan crudos por dentro. Si está muy frío, absorben demasiado aceite antes de ponerse crujientes. Es esencial escurrir sobre papel de cocina para eliminar el exceso de aceite y humedad.

buñuelos de dal

para 4 personas

100 g de moong dal puestas en
   remojo entre 2 y 3 horas antes,
   y luego escurridas

100 g de urid dal puestas en
   remojo entre 2 y 3 horas antes,
   y luego escurridas

1-2 cdas. de agua

1 cebolla bien picada

1 guindilla verde fresca picada

1 trozo de jengibre fresco de 2,5 cm

1 cda. de cilantro picado

¼ cdta. de bicarbonato de sodio

aceite vegetal abundante, para freír

chutney (págs. 223-227),
   para acompañar

1 Ponga las dal en un robot de
cocina con el agua y triture hasta
formar una pasta espesa. Pase la pasta
a un bol grande y agregue la cebolla,
la guindilla, el jengibre bien picado, el
cilantro y el bicarbonato. Sazone con
sal al gusto, remueva para mezclar
todo bien y deje reposar 5 minutos.

VARIANTE
Puede usar, si lo prefiere,
½ o 1 cucharadita de guindilla en
polvo en vez de guindilla fresca,
y servir con un chutney de mango
o de tamarindo (págs. 226-227).

2 En una freidora o una sartén
honda, caliente el aceite a
180-190°C o hasta que un dado de
pan se dore en 30 segundos. Con una
cuchara, sumerja pequeñas porciones
de pasta en el aceite caliente y fríalas
3 o 4 minutos hasta que estén doradas.

3 Saque los buñuelos con una espumadera y déjelos escurrir sobre
papel de cocina. Manténgalos calientes
mientras los fríe todos y sirva inmediatamente con un chutney de su elección.

berenjenas fritas en salsa de yogur

para 4 personas

200 g de yogur natural

75 ml de agua

1 cdta. de sal

1 berenjena

150 ml de aceite vegetal

1 cdta. de semillas de comino blanco

6 guindillas rojas secas

NOTA

Rico en proteínas y calcio, el yogur desempeña un papel esencial en la cocina india. Se usa como base de adobos, como condimento cremoso de currys y salsas, y como guarnición refrescante de platos picantes.

VARIANTE

Puede cortar las guindillas en rodajas finas y quitarles las semillas.

1 Ponga el yogur en un bol y bata bien con un tenedor. Añada el agua y la sal, y mezcle bien.

2 Pase el yogur a un cuenco y reserve.

3 Con un cuchillo afilado, corte la berenjena en rodajas finas.

4 Caliente el aceite en una sartén grande y fría las rodajas de berenjena, por tandas, 5 minutos a fuego medio. Deles la vuelta varias veces y sáquelas cuando empiecen a ponerse crujientes. Páselas a una fuente y manténgalas calientes.

5 Cuando las haya frito todas, baje el fuego, agregue las semillas de comino y las guindillas rojas, y saltee 1 minuto sin dejar de remover.

6 Con una cuchara, vierta el yogur encima de las berenjenas, luego el comino y las guindillas, y sirva inmediatamente.

maíz picante

para 4 personas

200 g de maíz congelado

    o en conserva

1 cdta. de comino molido

1 diente de ajo majado

1 cdta. de cilantro molido

1 cdta. de sal

2 guindillas verdes frescas picadas

1 cebolla bien picada

3 cdas. de mantequilla

4 guindillas rojas secas majadas

½ cdta. de zumo de limón

¼ ramito de cilantro cortado en

    tiras, y un poco más para decorar

1 Descongele el maíz (o escúrralo si lo usa en conserva) y reserve.

2 Ponga el comino, el ajo, el cilantro molido, la sal, la mitad de la guindilla verde y la cebolla en un mortero o robot de cocina y triture bien hasta obtener una pasta homogénea.

3 Caliente la mantequilla en una sartén y saltee la cebolla y la mezcla de especias a fuego medio 5 o 7 minutos, removiendo de vez en cuando.

4 Añada las guindillas rojas majadas y siga removiendo para mezclar bien.

5 Incorpore el maíz y saltee durante 2 minutos más.

NOTA

El cilantro es un ingrediente básico en la cocina india, tanto las hojas como las semillas. Éstas se suelen tostar antes de usar para que desprendan todo su sabor y aroma.

6 Agregue el resto de la guindilla verde, el zumo de limón y las tiras de cilantro, y remueva de vez en cuando para mezclar todo.

7 Pase el maíz con las especias a una fuente, decore con las tiras de cilantro y sirva caliente.

tortilla india

para 2-4 personas

1 cebolla pequeña muy bien picada

2 guindillas verdes frescas bien
 picadas

¼ ramito de cilantro bien picado

4 huevos

1 cdta. de sal

2 cdas. de aceite vegetal

ramitas de cilantro, para decorar

ensalada verde, para acompañar

1 Mezcle la cebolla, las guindillas y el cilantro en un bol grande.

2 Ponga los huevos en otro bol y bátalos juntos. Añada la mezcla anterior y remueva. Eche la sal y siga batiendo para que se mezcle todo bien.

3 Caliente 1 cucharada de aceite en una sartén y, con un cucharón, vierta una porción de la mezcla anterior para hacer una tortilla.

4 Fría la tortilla, dele una vez la vuelta y aplástela con una espátula de madera para que se haga bien por dentro. Espere a que esté dorada por fuera.

5 Siga el mismo procedimiento para freír todas las tortillas y mantenga calientes las que ya estén hechas.

6 Decórelas con ramitas de cilantro y sírvalas inmediatamente con una ensalada verde crujiente.

NOTA

Los cocineros indios usan una amplia gama de aceite vegetales. Si bien en casi todos los platos la alternativa más habitual es usar aceite de cacahuete o de maíz, a veces es esencial emplear algunos más específicos, como el aceite de coco, el de mostaza o el de sésamo.

tortitas de gambas

para 8 tortitas

280 g de gambas cocidas, peladas,
  sin el hilo intestinal y picadas

1 cebolla bien picada

1 guindilla verde fresca sin pepitas
  y bien picada

1 trozo de jengibre fresco de 1 cm
  bien picado

1 cda. de cilantro picado

2 cdas. de pan blanco del día rallado

¼ cdta. de cúrcuma molida

1 cda. de zumo de lima

1 huevo ligeramente batido

80 g de pan seco rallado

3 cdas. de ghee o aceite vegetal

ramitas de cilantro, para decorar

VARIANTE

Para hacer tortitas de pollo,
use la misma cantidad de pollo
cocido y picado que la indicada
para las gambas.

1 En un bol grande, mezcle las
gambas, la cebolla, la guindilla,
el jengibre, el cilantro, el pan blanco
rallado, la cúrcuma, el zumo de lima y
el huevo batido, y trabaje la masa con
las manos hasta que esté homogénea.

2 Divida la mezcla en 8 porciones
iguales. Tome cada porción entre
las palmas de las manos, forme una
bola y aplástela en forma de hambur-
guesa. Extienda el pan seco rallado en
un plato grande y reboce las tortitas
uniformemente.

3 Caliente el ghee en una sartén
de fondo pesado y fría las tortitas.
Hágalo en 2 tandas si es necesario, y
deje que se frían 5 o 6 minutos por cada
lado hasta que estén doradas. Sáquelas
con una espátula y déjelas escurrir sobre
papel de cocina. Manténgalas calientes
mientras hace el resto, decore con ramitas de cilantro y sirva inmediatamente.

NOTA

Si es posible, use pan rallado
blanco mejor que integral.
Puede que tenga que aplastar
bastante las tortitas en el
pan para conseguir que
se rebocen bien.

sambar de verduras

para 6 personas

1 kg de tomates en conserva

2 cdas. de coco seco no endulzado

2 cdas. de zumo de limón

1 cda. de granos de mostaza amarilla

40 g de azúcar moreno o mascabado

2 cdas. de ghee o aceite vegetal

2 cebollas cortadas en rodajas

4 granos de cardamomo ligeramente
   majados

6 hojas de curry, y un poco más
   para decorar

2 cdtas. de cilantro molido

2 cdtas. de comino molido

1 cdta. de cúrcuma molida

1 cdta. de pasta de jengibre (pág. 7)

450 g de boniatos cortados en trozos

900 g de patatas cortadas en trozos

2 zanahorias cortadas en rodajas

2 calabacines cortados en trozos

1 berenjena cortada en trozos

sal

1 En un robot de cocina, introduzca los tomates con su jugo, el coco, 1 cucharada de zumo de limón, los granos de mostaza y el azúcar, y triture hasta obtener una mezcla homogénea.

2 Caliente el ghee en una cacerola grande de fondo pesado y saltee la cebolla a fuego lento 10 minutos, removiendo de vez en cuando, o hasta que esté dorada. Añada los cardamomos, las hojas de curry, el cilantro, el comino, la cúrcuma y la pasta de jengibre, y siga salteando y removiendo 1 o 2 minutos o hasta que las especias desprendan su aroma. Agregue la mezcla del robot de cocina y lleve todo a ebullición. Baje el fuego, tape y cueza 10 minutos.

3 Incorpore los boniatos, las patatas y las zanahorias. Vuelva a tapar la cacerola y cueza 15 minutos más. Agregue los calabacines, la berenjena y el resto del zumo de limón, y sazone con sal al gusto. Vuelva a tapar la cacerola y cueza de 10 a 15 minutos o hasta que las verduras estén tiernas. Sirva decorado con hojas de curry.

VARIANTE

Puede usar cualquier clase de verdura para este plato, pero lo recomendable es emplear verduras fibrosas con los boniatos y tiernas con los calabacines.

albóndigas con yogur y masala

para 4 personas

200 g de harina urid dal (ata)

1 cdta. de levadura en polvo

½ cdta. de jengibre molido

300 ml de agua

aceite vegetal abundante, para freír

SALSA DE YOGUR

450 g de yogur natural

150 ml de agua

90 g de azúcar

MASALA

50 g de cilantro molido

50 g de comino blanco molido

1-2 cdtas. de guindilla seca en láminas

100 ml de zumo de limón

guindillas rojas picadas, para decorar

1 Ponga la harina urid dal en un bol grande. Añada la levadura y el jengibre molido, y mezcle. Añada el agua y remueva bien hasta formar una pasta.

2 Caliente el aceite en una sartén honda. Con una cuchara, vaya introduciendo bolitas de pasta y fríalas hasta que estén doradas. Si ve que el aceite se calienta demasiado, baje un poco el fuego. Reserve las albóndigas.

3 Para preparar la salsa de yogur, ponga el yogur en un bol aparte. Añada el agua y el azúcar, y mezcle con un batidor o un tenedor. Reserve.

4 Para preparar el masala, tueste el cilantro molido y el comino en una sartén hasta que se ennegrezcan. Luego, añada la guindilla seca y el ácido cítrico, remueva y mezcle bien.

5 Vierta 1 cucharada del masala por encima de las albóndigas y decore con guindillas rojas. Sirva con la mezcla de yogur reservada.

samosas

para 10-12 personas

MASA

100 g de harina de fuerza

½ cdta. de sal

3 cdas. de mantequilla

4 cdas. de agua

RELLENO

3 patatas cocidas

1 cdta. de jengibre fresco bien
   picado

1 diente de ajo majado

½ cdta. de semillas de comino blanco

½ cdta. de semillas de cebolla

½ cdta. de granos de mostaza

½ cdta. de guindilla roja seca
   en láminas

2 cdas. de zumo de limón

2 guindillas verdes frescas pequeñas
   bien picadas

aceite vegetal abundante, para freír

1 Tamice la harina y 1 cucharadita de sal en un bol grande. Añada la mantequilla y trabaje bien la masa hasta que adquiera una textura desmigada.

2 Vierta el agua y bata con un tenedor hasta formar una masa. Haga una bola con ella y trabájela 5 minutos o hasta que quede homogénea. Si nota que se pega mucho, añada un poco de harina. Tape y reserve.

3 Para hacer el relleno, pase las patatas cocidas por el pasapurés y mézclelas con el jengibre, el ajo, el comino, las semillas de cebolla, la mostaza, la sal, la guindilla roja, el zumo de limón y la guindilla verde.

4 Divida la masa en bolas pequeñas y extiéndalas en círculos finos. Corte los círculos por la mitad, humedezca un poco los bordes y deles la forma de conos. Rellene los conos, humedezca ambos bordes y séllelos bien con los dedos. Reserve.

5 Llene de aceite una freidora o una sartén honda hasta un tercio de su capacidad y caliente a 180-190°C o hasta que un dado de pan se dore en 30 segundos. Fría las samosas por tandas, entre 2 y 3 minutos cada una o hasta que estén doradas. Sáquelas del aceite, déjelas escurrir sobre papel de cocina y sírvalas calientes o frías.

201

samosas rellenas de carne

para 10-12 personas

1 receta de pasta de samosa
   (pág. 201)

aceite vegetal abundante, para freír

ramitas de cilantro, para decorar

RELLENO

2 cdas. de ghee o aceite vegetal

1 cebolla picada

450 g de carne picada de cordero

1 cdta. de pasta de ajo (pág. 7)

1 cdta. de pasta de jengibre
   (pág. 7)

NOTA

No es necesario descongelar
las samosas congeladas
antes de freír, pero si prefiere
hacerlo, no hay ningún
inconveniente.

1 Para hacer el relleno, caliente el ghee en un *karahi* o sartén grande de fondo pesado y sofría la cebolla 10 minutos o hasta que esté dorada. Añada el cordero, la pasta de ajo y la pasta de jengibre, y salpimiente al gusto. Sofría la carne 10 minutos y desmenúcela con una cuchara de madera hasta que la mezcla quede bastante seca. Con una espumadera, pase todo a un bol y deje enfriar.

2 Divida la masa en bolas pequeñas y extiéndalas en forma de círculos muy finos. Corte los círculos por la mitad, humedezca un poco los bordes y deles forma de cono. Rellene los conos, humedezca los bordes y séllelos bien con los dedos. Reserve.

3 Llene de aceite una freidora o una sartén honda hasta un tercio de su capacidad y caliente a 180-190°C o hasta que un dado de pan se dore en 30 segundos. Fría las samosas por tandas durante 2 o 3 minutos cada una o hasta que estén doradas. Sáquelas del aceite, déjelas escurrir bien sobre papel de cocina y sírvalas decoradas con ramitas de cilantro. Se pueden tomar calientes o frías, como prefiera.

VARIANTE

Para evitarse el tener que preparar
la masa de la samosa, puede usar la
pasta para rollitos de primavera que
venden ya preparada.

patatas Bombay

para 6 personas

500 g de patatas nuevas cortadas
en dados

1 cdta. de cúrcuma molida

4 cdas. de ghee o aceite vegetal

6 hojas de curry

1 guindilla roja seca

2 guindillas verdes frescas picadas

½ cdta. de semillas de cebolla negra

½ cdta. de granos de mostaza

½ cdta. de semillas de cebolla

½ cdta. de semillas de comino

½ cdta. de semillas de hinojo

¼ cdta. de asafétida

2 cebollas picadas

5 cdas. de cilantro picado

el jugo de ½ lima

1 Ponga las patatas en una cacerola grande de fondo pesado y cúbralas con agua fría. Añada ½ cucharadita de cúrcuma y 1 pizca de sal, y lleve a ebullición. Hierva 10 minutos o hasta que las patatas estén tiernas. Escurra y reserve.

2 Caliente el ghee en una sartén grande de fondo pesado y saltee las hojas de curry y la guindilla roja unos minutos sin dejar de remover, hasta que la guindilla se ennegrezca ligeramente. Agregue el resto de la cúrcuma, las guindillas verdes, las semillas de las dos cebollas, la mostaza, el comino, el hinojo, la asafétida, el cilantro y las cebollas picadas, y saltee 5 minutos más sin dejar de remover hasta que las cebollas estén tiernas.

3 Incorpore las patatas y fríalas a fuego lento, removiendo de vez en cuando, durante 10 minutos o hasta que estén bien calientes. Rocíe por encima el zumo de lima y sirva.

NOTA

La asafétida mejora la digestión y combate la flatulencia. Es mejor comprarla en polvo que en resina, aunque en polvo hay que guardarla en un bote hermético porque con el tiempo pierde su sabor.

pastelitos picantes de patata

para 8 personas

450 g de patatas cortadas en dados

1 cebolla rallada

1 cdta. de garam masala (pág. 7)

¼ cdta. de guindilla en polvo (opcional)

1 cda. de zumo de limón

2 cdas. de cilantro picado

sal

4 cdas. de ghee o mantequilla

ramitas de cilantro, para decorar

1 Cueza las patatas en una cacerola de agua con poca sal entre 10 y 15 minutos o hasta que estén tiernas pero aún firmes. Mientras, ponga la cebolla rallada sobre un paño de cocina limpio y escúrralo bien para eliminar el exceso de humedad. Pásela a un bol grande, agregue el garam masala, la guindilla en polvo (si la usa), el zumo de limón y el cilantro picado, y sazone con sal al gusto.

2 Escurra las patatas, páselas al bol, tritúrelas con un tenedor o en un pasapurés y divida la mezcla en 8 porciones iguales. Tome cada porción entre las palmas de las manos, forme bolas y aplástelas en forma de pastelito.

3 Caliente el ghee en una sartén de fondo pesado y fría los pastelitos, por tandas si es necesario, 2 minutos por cada lado hasta que estén dorados y crujientes. Sáquelos con una espátula y déjelos escurrir sobre papel de cocina. Sírvalos calientes o fríos, decorados con ramitas de cilantro.

aperitivo de garbanzos

para 2-4 personas

500 g de garbanzos en conserva
    escurridos

1 cebolla

2 patatas

2 cdas. de pasta de tamarindo

6 cdas. de agua

1 cdta. de guindilla en polvo

2 cdtas. de azúcar

1 cdta. de sal

PARA DECORAR

1 tomate cortado en cuartos

2 guindillas verdes frescas picadas

2-3 cdas. de cilantro picado

1 Ponga los garbanzos en un bol grande.

2 Pique la cebolla y reserve. Pele las patatas, córtelas en dados y cuézalas en una cacerola de agua hasta que estén tiernas. Escurra y reserve.

3 Mezcle la pasta de tamarindo y el agua en un bol pequeño.

4 Añada la guindilla en polvo, el azúcar y la sal a la mezcla anterior, y vierta todo sobre los garbanzos.

NOTA

De color crema y de aspecto
parecido a las avellanas,
los garbanzos tienen un cierto
sabor a nueces y una textura
ligeramente crujiente.
Los indios los muelen para
formar una harina llamada
besan, que se emplea para hacer
panes, espesar salsas y para
rebozar frituras.

5 Incorpore la cebolla y los dados de patata, y remueva para que se mezcle bien. Sazone con sal al gusto.

6 Páselo todo a un bol y sírvalo decorado con los tomates, la guindilla y el cilantro picado.

rombos de comino fritos

150 g de harina

1 cdta. de levadura en polvo

½ cdta. de sal

1 cda. de semillas de comino negro

100 ml de agua

300 ml de aceite vegetal

1 Ponga la harina en un bol grande.

2 Añada la levadura, la sal y las semillas de comino, y mezcle bien.

3 Vierta el agua y siga removiendo hasta conseguir una masa homogénea y elástica.

NOTA

Las semillas de comino negro se usan aquí por su intenso aroma y sabor. En este caso, no pueden sustituirse por las de comino blanco.

4 Extienda la masa sobre una superficie limpia y trabájela hasta que tenga 5 mm de grosor.

5 Con un cuchillo afilado, corte la masa en forma de rombos. Vuelva a extender los restos de masa y siga cortando rombos hasta usarla toda.

6 En una sartén grande, caliente el aceite a 180-190°C o hasta que un dado de pan se dore en 30 segundos.

7 Sumerja con cuidado los rombos en el aceite caliente, por tandas si es necesario, y fríalos hasta que estén dorados.

8 Sáquelos con una espumadera y déjelos escurrir sobre papel de cocina. Sírvalos con una salsa de dal para mojar o guárdelos en un recipiente hermético si no los va a consumir al momento.

sémola con especias

para 4 personas

150 ml de aceite vegetal

½ cdta. de semillas de cebolla

½ cdta. de granos de mostaza

4 guindillas rojas secas

4 hojas de curry (frescas o secas)

8 cdas. de sémola gruesa

50 g de anacardos

1 cdta. de sal

150 ml de agua

NOTA

Las hojas de curry se parecen a las del laurel, pero el sabor es muy distinto. Pueden comprarse frescas o secas, y suelen usarse para condimentar platos de lentejas y currys de verduras.

1 Caliente el aceite en una sartén grande de fondo pesado.

2 Añada las semillas de cebolla, la mostaza, las guindillas rojas secas y las hojas de curry, y saltee todo durante 1 minuto sin dejar de remover.

3 Baje el fuego y agregue la sémola y los anacardos. Saltee 5 minutos más, sin dejar de remover para evitar que se peguen o se quemen.

4 Añada la sal y siga salteando y removiendo sin cesar.

5 Vierta el agua y cueza sin dejar de remover hasta que la mezcla comience a espesarse.

6 Sirva caliente como tentempié a la hora de la merienda.

ensalada de pepino

para 4 personas

225 g de pepinos

1 guindilla verde fresca (opcional)

2 cdas. de cilantro bien picado

2 cdas. de zumo de limón

½ cdta. de sal

1 cdta. de azúcar

hojas de hierbabuena fresca,
para decorar

1 Con un cuchillo afilado, corte el pepino en rodajas finas y luego cada rodaja por la mitad, y disponga los trozos en una fuente redonda. Corte y pique la guindilla verde (si la usa) y espárzala por encima del pepino.

2 Para preparar el aliño, ponga el cilantro, el zumo de limón, la sal y el azúcar en un bol, mezcle todo bien y reserve.

3 Ponga el pepino en el frigorífico y déjelo enfriar al menos 1 hora o hasta que lo vaya a servir. Vierta el aliño por encima y, justo antes de servirlo, decórelo con algunas hojas de hierbabuena.

NOTA

El picante de muchas de las recetas indias se debe al uso de las guindillas verdes frescas, aunque las rojas secas también son bastante comunes.
En el sur de la India, zona de temperaturas muy altas, se consumen guindillas en grandes cantidades para obligar al cuerpo a transpirar, y así refrescarse.
En la India crecen múltiples variedades, de suaves a muy picantes. Como norma general, cuanto más pequeña es la guindilla, más picante. Las frescas pueden durar hasta 5 días en el frigorífico. Para conservar el cilantro, sumerja las raíces en un vaso con agua y guarde en un sitio fresco hasta 4 días.

cachumbar de tomates

para 6 personas

125 ml de zumo de lima

½ cdta. de azúcar

sal

6 tomates picados

½ pepino picado

8 cebolletas picadas

1 guindilla verde fresca sin pepitas
   y picada

1 cda. de cilantro picado

1 cda. de hierbabuena fresca picada

1 Mezcle el zumo de lima, el azúcar y 1 pizca de sal en un bol grande, y remueva todo bien hasta que el azúcar se disuelva completamente.

2 Añada los tomates, el pepino, las cebolletas, la guindilla, el cilantro y la hierbabuena, y siga removiendo para mezclar bien.

3 Tape con film transparente y deje enfriar en el frigorífico 30 minutos. Remueva la ensalada antes de servir.

NOTA

Corte todas las hortalizas en trozos bastante pequeños e iguales para ganar en textura y en presentación. Puede usar cualquier hortaliza que tenga en el frigorífico, siempre y cuando se pueda comer cruda.

ensalada caliente

para 4 personas

½ coliflor

1 pimiento verde

1 pimiento rojo

½ pepino

4 zanahorias

2 cdas. de mantequilla

sal y pimienta

NOTA

En la India, se pueden comprar aperitivos y guarniciones en puestos colocados en las calles. Aunque muchos los encontrará en tiendas de comida asiática, los hechos en casa son mucho más frescos y gratificantes.

1 Lave la coliflor y, con un cuchillo afilado, córtela en pequeños ramilletes. Retire las pepitas a los pimientos y córtelos en tiras finas. Corte el pepino en trozos grandes y luego corte cada trozo en cuatro partes. Finalmente, pele las zanahorias y córtelas en rodajas finas.

2 Funda la mantequilla en una sartén grande y remueva bien.

3 Agregue la coliflor, los pimientos, el pepino y las zanahorias, y saltee entre 5 y 7 minutos. Salpimiente al gusto, tape la sartén, baje el fuego y cueza 3 minutos.

4 Pase las hortalizas a una fuente, remuévalas un poco y sírvalas.

VARIANTE

Puede sustituir las hortalizas indicadas por las que usted prefiera.

macedonia agridulce

para 4 personas

400 g de cóctel de frutas
en conserva

400 g de guayabas en conserva

2 bananas grandes

3 manzanas

1 cdta. de pimienta molida gruesa

1 cdta. de sal

2 cdas. de zumo de limón

½ cdta. de jengibre molido

hojas de hierbabuena, para decorar

NOTA

El jengibre es una de las especias más populares de la India, además de una de las más antiguas. La raíz se vende en muchos grandes supermercados, y debe pelarse primero y picar o rallar después, según convenga. También resulta útil tener jengibre molido en la despensa. En esta receta, el zumo de limón añade un toque ácido y evita que las bananas y las manzanas se oxiden en contacto con el aire.

1 Escurra el cóctel de frutas y ponga la fruta en un bol hondo.

2 Mezcle las guayabas con su almíbar en la fruta escurrida del bol.

3 Pele las bananas y córtelas en rodajas. Retire el corazón a las manzanas y córtelas en dados.

4 Incorpore la fruta fresca al bol y mezcle bien.

5 Añada la pimienta, la sal, el zumo de limón y el jengibre, y remueva.

6 Sirva como tentempié, decorado con algunas hojas de hierbabuena.

cachumbar de cebollas

para 4 personas

2 cebollas rojas o 1 cebolla blanca,
   cortadas en rodajas finas
1 guindilla verde fresca sin pepitas
   y picada
1 cda. de zumo de lima
¼ cdta. de guindilla en polvo
1 cda. de cilantro picado
sal

1 Ponga las rodajas de cebolla en una fuente grande. Esparza por encima la guindilla picada, el zumo de lima, la guindilla en polvo y el cilantro, y sazone con sal al gusto.

2 Remueva bien para impregnar la cebolla y tape el bol con film transparente.

3 Deje reposar unos 30 minutos en un lugar fresco y seco, para que la cebolla libere sus jugos. Remueva de nuevo el cachumbar y, antes de servir, corrija de sal y pimienta si es necesario.

NOTA

Las cebollas rojas y las blancas son mucho más dulces que las marrones y, por tanto, mejores para consumirlas crudas. Ninguna comida india está completa sin un sabroso surtido de pequeñas guarniciones, entre las que se encuentra siempre la ensalada, ya que aporta un toque perfecto a cualquier plato tandoori o kebab.

arroz con cacahuetes y pasas

para 4 personas

50 g de chana dal

300 ml de aceite vegetal

2 cdtas. de semillas de cebolla

6 hojas de curry

200 g de copos de arroz

2 cdas. de cacahuetes

30 g de pasas

90 g de azúcar

2 cdtas. de sal

2 cdtas. de guindilla en polvo

55 g de sev (opcional)

1 Enjuague las dal debajo del grifo para eliminar las piedras y déjelas en remojo en un bol con agua 3 horas.

2 Caliente el aceite en una sartén y saltee las semillas de cebolla y el curry, sin dejar de remover, hasta que la cebolla esté crujiente y dorada.

3 Añada los copos de arroz y siga salteando hasta que estén crujientes y dorados (no deje que se quemen).

4 Saque la mezcla de la sartén y déjela escurrir sobre papel de cocina para eliminar el exceso de aceite. Luego, pase todo a un bol.

5 Tueste los cacahuetes en el resto del aceite sin dejar de remover. Añada los cacahuetes a la mezcla de arroz y remueva para que se mezcle todo bien. Agregue las pasas, el azúcar, la sal y la guindilla en polvo, y, finalmente, el sev (si lo usa). Pase a una fuente.

6 Recaliente el resto del aceite y saltee las dal escurridas hasta que estén doradas. Páselas a la fuente y mezcle todo bien.

7 Este plato puede consumirse inmediatamente o conservarse en un recipiente hermético hasta el momento de servir.

NOTA

Los sev son unos bastoncitos finos hechos de besan que encontrará en las tiendas de comida asiática.

sambal de gambas

para 4 personas

250 g de gambas cocidas, peladas
y picadas

3 huevos duros sin cáscara y cortados en rodajas

1 cebolla grande bien picada

1 trozo de jengibre fresco de 3 cm
bien picado

½ cdta. de guindilla en polvo

3 cdas. de leche de coco

sal

½ cdta. de semillas de comino

PARA DECORAR

1 lima cortada en cuñas

ramitas de cilantro

NOTA

Si pela los huevos justo después
de hervirlos, evitará que la parte
blanca que rodea a la yema
cambie de color. Para enfriarlos
rápidamente, póngalos un rato
bajo del grifo o en remojo.

1 En un bol, mezcle las gambas, los
huevos duros, la cebolla, el jengibre, la guindilla en polvo y la leche de
coco. Sazone con sal al gusto.

2 Ponga las semillas de comino en
un mortero y májelas ligeramente.

3 Esparza el comino majado por
encima del sambal, tape con film
transparente y deje enfriar en el frigorífico al menos 30 minutos. Sirva
decorado con cuñas de lima y ramitas
de cilantro.

ensalada de garbanzos

para 4 personas

500 g de garbanzos en conserva

4 zanahorias

1 ramito de cebolletas

1 pepino

½ cdta. de sal

½ cdta. de pimienta

3 cdas. de zumo de limón

1 pimiento rojo sin pepitas y cortado
  en rodajas finas

1 Escurra los garbanzos y póngalos en una ensaladera grande.

2 Con un cuchillo afilado, pele y corte las zanahorias en rodajas. Corte las cebolletas en tiras finas. Corte el pepino en rodajas grandes y luego cada una en cuatro partes. Incorpórelo todo a los garbanzos, y mezcle bien.

3 Añada la sal y la pimienta, y rocíe por encima el zumo de limón.

4 Remueva con suavidad los ingredientes de la ensalada con 2 cucharas de servir.

5 Con un cuchillo afilado, corte el pimiento rojo en tiras finas.

6 Disponga las tiras de pimiento rojo encima de la ensalada de garbanzos y sirva inmediatamente, o deje enfriar en el frigorífico hasta el momento de servir.

NOTA

El uso de garbanzos en conserva en vez de secos reduce el tiempo de preparación del plato.

puré de berenjenas

para 6 personas

2 berenjenas cortadas a lo largo

3 cdas. de cilantro picado

2 cdtas. de cilantro molido

1 cdta. de comino molido

1 cdta. de cúrcuma molida

4 tomates bien picados

4 cdas. de ghee o aceite vegetal

1 cebolla bien picada

1 cdta. de pasta de jengibre (pág. 7)

1 cdta. de pasta de ajo (pág. 7)

1 guindilla verde fresca bien picada

sal

2 cdas. de zumo de limón

1 ramita de hierbabuena fresca,
para decorar

chapatis (pág. 185), para acompañar

3 Caliente el ghee en una sartén de fondo pesado y fría la cebolla a fuego lento, removiendo de vez en cuando, durante 5 minutos o hasta que esté tierna. Agregue la pasta de jengibre, la pasta de ajo y la guindilla, y saltee y remueva durante 2 minutos más. Añada la mezcla de berenjenas, sazone con sal al gusto, y siga removiendo un rato más hasta que se evapore todo el líquido y el puré esté espeso y homogéneo. Rocíe por encima el zumo de limón y, con una cuchara, pase todo a una fuente. Decore con una ramita de hierbabuena y sirva inmediatamente con chapatis.

NOTA

Antes de asar las berenjenas en el horno, use un cuchillo afilado para hacer 2 o 3 cortes en la pulpa de cada mitad.

1 Precaliente el horno a 180°C. Ponga las berenjenas en una bandeja llana refractaria con la parte cortada hacia arriba. Tape con papel de aluminio, áselas 1 hora o hasta que estén muy tiernas. Déjelas enfriar.

2 Con una cuchara, extraiga la pulpa de berenjena a un bol y tritúrela bien. Añada los dos cilantros, el comino, la cúrcuma y los tomates, y bátalos con un cucharón de madera.

encurtido de lima

para 4 personas

12 limas cortadas por la mitad

100 g de sal

2-3 cdas. de guindilla en polvo

2 cdas. de mostaza en polvo

2 cdas. de fenogreco molido

1 cda. de cúrcuma molida

300 ml de aceite de mostaza

15 g de semillas de mostaza
amarilla majadas

½ cdta. de asafétida

NOTA

Si está seguro de que el bote no se va a romper al añadir el aceite caliente en el paso 3, entonces no hace falta pasar la mezcla de lima a un bol para que se enfríe.

1 Corte cada mitad de lima en 4 trozos. Métalos en un bote grande de cristal esterilizado (véase Nota, pág. 223) y écheles la sal por encima. Procure que no caiga ninguna pepita. Tape y deje reposar en lugar cálido entre 10 y 14 días o hasta que las limas estén marrones y tiernas.

2 Mezcle la guindilla en polvo, la mostaza, el fenogreco y la cúrcuma en un bol pequeño, y añádalo al bote de limas. Remueva bastante para que se mezcle todo bien, vuelva a tapar el bote y deje reposar 2 días.

3 Pase la mezcla de lima a un bol refractario. Caliente el aceite en una sartén de fondo pesado y fría la mostaza y la asafétida, sin dejar de remover, hasta que el aceite esté muy caliente y empiece a echar humo. Vierta el aceite y las especias por encima de las limas y mezcle bien. Tape y deje enfriar. Una vez frío, meta todo en el bote esterilizado y guarde en un lugar soleado durante 1 semana antes de servirlo.

raitas

para 4 personas

RAITA DE MENTA

200 g de yogur natural

4 cdas. de agua

1 cebolla pequeña bien picada

½ cdta. de salsa de menta

½ cdta. de sal

3 hojas de hierbabuena fresca

RAITA DE PEPINO

225 g de pepino

1 cebolla

½ cdta. de sal

½ cdta. de salsa de menta

300 g de yogur natural

150 ml de agua

hojas de hierbabuena fresca

RAITA DE BERENJENA

1 berenjena

1 cdta. de sal

1 cebolla pequeña bien picada

2 guindillas verdes bien picadas

200 g de yogur natural

3 cdas. de agua

1 Para hacer el raita de menta, ponga el yogur en un bol y bátalo con un tenedor. Añada poco a poco el agua y siga batiendo. Agregue la cebolla, la salsa de menta y la sal, y remueva bastante para mezclarlo todo bien. Decore con las hojas de hierbabuena.

2 Para hacer el raita de pepino, pele el pepino y córtelo en rodajas, y corte la cebolla en rodajas finas. Ponga ambos en un bol grande, añada la sal y la salsa de menta, luego el yogur y el agua. Pase la mezcla a una batidora y bata todo bien. Disponga en una fuente y sirva decorado con algunas hojas de hierbabuena fresca.

3 Para hacer el raita de berenjena, enjuague la berenjena, corte y deseche la parte superior, y corte el resto en trozos pequeños. Llévela a ebullición en una cacerola con agua hasta que se ponga tierna y esponjosa. Escúrrala, tritúrela y pásela a una fuente. Añada la sal, la cebolla, y las guindillas, y mezcle. Bata el yogur con el agua en un bol aparte, y viértalo por encima de la berenjena. Mezcle bien antes de servir.

chutney nueve joyas

para 4 personas

1 cdta. de semillas de cilantro

½ cdta. de semillas de comino

½ cdta. de semillas de cebolla

½ cdta. de anís

50 g de almendras picadas

1 mango maduro pelado, sin hueso
y cortado en rodajas

1 manzana descorazonada y picada

1 banana pelada y cortada en rodajas

4 rodajas de piña fresca picadas o
4 rodajas de piña en su jugo,
escurridas y picadas

200 g de melocotones en zumo
de frutas, escurridos y picados

130 g de dátiles secos sin hueso
y cortados en rodajas

60 g de pasas

2 guindillas rojas secas

40 g de jengibre fresco picado

180 g de azúcar sin refinar o
mascabado

180 ml de vinagre de vino blanco
o de malta

sal

1 Caliente una sartén de fondo pesado y tueste las semillas de cilantro, las semillas de comino, las semillas de cebolla, el anís y las almendras a fuego lento, sin dejar de remover, entre 1 y 2 minutos o hasta que desprendan su aroma. Retire la sartén del fuego y reserve.

2 Ponga el mango, la manzana, la banana, la piña, los melocotones, los dátiles, las pasas, las guindillas, el jengibre y el azúcar en una cacerola de fondo pesado. Vierta el vinagre, añada 1 pizca de sal y lleve a ebullición sin dejar de remover. Baje el fuego y cueza, removiendo a menudo, durante 15 minutos o hasta que se espese.

3 Agregue la mezcla de especias y siga cociendo y removiendo 5 minutos más. Retire del fuego y deje enfriar. Sirva inmediatamente o conserve en un bote esterilizado (véase Nota) y herméticamente cerrado.

NOTA

Para esterilizar botes, hiérvalos en una cacerola llena de agua durante 10 minutos. Luego, métalos en el horno precalentado a 140°C, abiertos y boca abajo, y déjelos secar 15 minutos.

chutney de sésamo

para 4 personas

8 cdas. de semillas de sésamo

2 cdas. de agua

½ ramito de cilantro bien picado

3 guindillas verdes frescas picadas

1 cdta. de sal

2 cdtas. de zumo de limón

1 guindilla roja fresca picada,
    para decorar

NOTA

Tostar es un proceso rapidísimo que extrae todo el sabor de las especias secas y evita que los platos tengan ese peculiar sabor a crudo. Además, es fácil saber cuándo las especias están listas, pues coincide con el momento en que desprenden todo su aroma. Asegúrese de removerlas bien mientras las tuesta y procure no retirar nunca la vista de la sartén, porque pueden quemarse en apenas un instante.

1 Tueste las semillas de sésamo en una sartén grande de fondo pesado. Retire la sartén del fuego y deje enfriar.

2 Una vez frías, ponga las semillas de sésamo en un mortero o robot de cocina y muélalas hasta obtener un polvo fino. Añada el agua y mezcle hasta obtener una pasta homogénea.

3 Pique bien el cilantro y añádalo a las semillas de sésamo y a las guindillas. Muélalo todo de nuevo.

4 Añada la sal y el zumo de limón, y vuelva a moler todo bien.

5 Saque la mezcla del robot de cocina o mortero y pásela a una fuente. Decore con guindilla picada y sirva inmediatamente.

chutney de mango

para 4 personas

1 kg de mangos frescos

4 cdas. de sal

625 ml de agua

625 g de azúcar

450 ml de vinagre

2 cdtas. de jengibre fresco bien
picado

2 dientes de ajo majados

2 cdtas. de guindilla en polvo

2 ramas de canela

80 g de pasas

100 g de dátiles sin hueso

1 Con un cuchillo afilado, corte los mangos por la mitad y retire el hueso: haga un corte a ambos lados del hueso y en la pulpa, vuélvalos del revés y córtelos en dados. Póngalos en un bol grande, añada la sal y agua, y déjelos reposar toda la noche. Escurra el líquido de los mangos y reserve.

2 Lleve el azúcar y el vinagre a ebullición en una cacerola grande a fuego lento sin dejar de remover. Añada poco a poco los dados de mango y siga removiendo para que se empapen bien de la mezcla.

3 Añada el jengibre, el ajo, la guindilla en polvo, la canela, las pasas y los dátiles, y vuelva a llevar todo a ebullición removiendo de vez en cuando. Baje el fuego, cueza 1 hora más o hasta que la mezcla espese. Retire del fuego y deje enfriar. Deseche las ramas de canela y pase el chutney a botes limpios y secos. Tápelos herméticamente y déjelos reposar en un lugar fresco para que los mangos desprendan todo su sabor.

NOTA

Cuando elija los mangos, seleccione los de piel más brillante y sin manchas. Para comprobar si están maduros, presiónelos ligeramente. Si están listos para comer, deberían ceder a la presión.

chutney de tamarindo

para 4-6 personas

2 cdas. de pasta de tamarindo

5 cdas. de agua

1 cdta. de guindilla en polvo

½ cdta. de jengibre molido

½ cdta. de sal

1 cdta. de azúcar

1-2 cdas. de cilantro bien picado,
    para decorar

NOTA

Los platos de verduras suelen adquirir cierto regusto ácido y amargo al añadirles el tamarindo. Esta especia se elabora a partir de la pulpa semiseca y comprimida del árbol, y se puede comprar en barras en las tiendas de comida asiática. Se recomienda guardar en bolsas de plástico herméticamente cerradas o en recipientes herméticos. Lo más cómodo es tener siempre en la despensa un bote de pasta de tamarindo. Aunque es mucho más ácido que el limón, éste funciona muchas veces como sustituto.

1 Ponga la pasta de tamarindo en un bol pequeño.

3 Añada la guindilla y el jengibre, y remueva y mezcle todo bien.

4 Agregue la sal y el azúcar, y siga removiendo para mezclarlo todo bien.

5 Pase el chutney a un cuenco, decórelo con cilantro y sírvalo inmediatamente.

2 Vierta poco a poco el agua y bata suavemente con un tenedor hasta obtener una crema de textura homogénea pero semilíquida.

Postres

Los postres indios tienden a ser abundantes y muy dulces, de ahí que lo ideal sea acompañarlos de una amplia variedad de fruta fresca, como mangos, guayabas o melón. Además, se recomienda servirlos fríos, sobre todo en los meses de verano.

Este capítulo presenta postres sencillos para diario, como el Pudding de arroz (pág. 247), y también creaciones más exóticas. En la India, hay postres como el Pudding de pan indio (pág. 230), el Postre de zanahorias (pág. 235) o el Pudding indio de fideos vermicelli (pág. 251), que sólo se sirven en ocasiones muy especiales, como en las fiestas religiosas. Los menús de la mayoría de los restaurantes indios de Occidente apenas ofrecen una muestra de los ricos y variados postres que se preparan en la India, por lo que estas recetas se revelan como una agradable sorpresa para el paladar.

pudding de pan indio

para 4-6 personas

6 rebanadas medianas de pan

5 cdas. de ghee

150 g de azúcar

300 ml de agua

3 cardamomos verdes sin cáscara
y con las semillas majadas

625 ml de leche

180 g de leche evaporada o khoya
(véase Nota)

½ cdta. de hebras de azafrán

nata líquida, para servir (opcional)

PARA DECORAR

8 pistachos pelados y picados

almendras picadas

2 varaks (hojas de oro y plata)
(opcional)

NOTA

Para preparar el khoya, lleve
primero a ebullición 900 ml de
leche en una olla grande de fondo
pesado teniendo cuidado de que
no se queme. Luego, baje el fuego
y deje que hierva 35 minutos
removiendo de vez en cuando.

---

1 Corte cada rebanada de pan
en 4 triángulos.

2 Caliente el ghee en una sartén y
fría los triángulos de pan, dándoles la vuelta una vez, hasta que estén
crujientes y bien tostados.

3 Ponga el pan frito en el fondo de
una bandeja refractaria y reserve.

4 Para hacer el almíbar, ponga el
azúcar, el agua y las semillas de
cardamomo en un cazo y lleve a ebullición hasta que se espese bastante.

5 Vierta el almíbar por encima
del pan frito.

6 Ponga la leche, la leche evaporada y el azafrán en otro cazo, y
lleve a ebullición a fuego lento hasta
que la leche se reduzca a la mitad.

7 Vierta la leche por encima del
pan empapado de almíbar.

8 Decore con los pistachos, las
almendras picadas y los varaks
(si los usa). Sirva el pudding de pan
con o sin nata líquida, como prefiera.

dulce de coco

para 4-6 personas

75 g de mantequilla

200 g de coco seco no endulzado

180 g de leche condensada

varias gotas de colorante alimentario

    rosa (opcional)

1 Ponga la mantequilla en un cazo de fondo pesado y fúndala a fuego lento removiendo sin parar.

2 Añada el coco seco y siga removiendo para que se mezcle todo.

3 Agregue la leche condensada y el colorante rosa (si lo usa), y mantenga el cazo en el fuego entre 7 y 10 minutos sin dejar de remover.

4 Retire el cazo del fuego y espere a que la mezcla de coco se enfríe un poco.

5 Una vez que esté lo suficientemente fría, forme con la masa unos bloques alargados y córtelos en rectángulos iguales. Deje reposar el dulce 1 hora antes de servirlo.

VARIANTE

Si lo prefiere, puede dividir la mezcla de coco en dos y añadir el colorante rosa sólo a la mitad. De este modo, conseguirá que el dulce presente una atractiva combinación de blanco y rosa.

NOTA

El coco se usa mucho en la cocina india para añadir sabor y hacer más cremosos los platos. Aunque el mejor sabor lo da el coco recién rallado, el coco seco y no endulzado constituye también un recurso excelente. El coco recién rallado puede congelarse sin problema, por lo que vale la pena prepararlo de antemano si dispone de algo de tiempo.

almendrados

para 6-8 personas

3 huevos

90 g de almendras molidas

370 g de leche en polvo

250 g de azúcar

½ cdta. de hebras de azafrán

100 g de mantequilla

30 g de almendras laminadas

1 Precaliente el horno a 160°C, bata los huevos en un bol y reserve.

2 Ponga las almendras molidas, la leche en polvo, el azúcar y el azafrán en un bol grande, y remueva bien para que se mezcle todo.

3 Funda la mantequilla en un cazo.

NOTA

Estos almendrados están mejor calientes, pero también pueden servirse fríos. Se pueden preparar 1 día o incluso 1 semana antes, y recalentarlos antes de servir. También se pueden congelar.

4 Vierta la mantequilla fundida en el bol donde están las almendras y mezcle con una cuchara de madera.

5 Añada los huevos batidos sin dejar de remover para que se funda todo bien.

6 Extienda la mezcla en un plato refractario cuadrado y llano de unos 15 o 20 cm, y hornéela 45 minutos. Compruebe si la masa está bien hecha pinchándola con la punta de un cuchillo o una brocheta. Estará hecha cuando el cuchillo salga completamente limpio.

7 Con un cuchillo afilado, corte la tarta en pequeñas tiras.

8 Decórelas con las almendras laminadas, dispóngalas en una bandeja y sírvalas frías o calientes.

bocaditos de almendra y pistacho

para 4-6 personas

75 g de mantequilla

220 g de almendras molidas

250 g de azúcar

150 g de nata líquida ligera

8 almendras picadas

10 pistachos picados

1 En un cazo mediano, preferentemente antiadherente, funda la mantequilla sin dejar de remover.

2 Añada las almendras molidas, el azúcar y la nata líquida, y remueva bien. Baje el fuego y siga removiendo otros 10 o 12 minutos, rascando la base del cazo para que no se pegue.

3 Suba el fuego y espere a que la pasta adquiera un tono algo más oscuro.

4 Pásela a una bandeja llana y alise la superficie con el dorso de una cuchara.

5 Decore la pasta con las almendras y los pistachos picados.

6 Deje reposar 1 hora, corte pequeñas porciones en forma de rombo y sirva frío.

NOTA

En lugar de cortar bocaditos en forma de rombo, puede usar un cortapastas de cualquier otra forma. Puede preparar este postre con antelación y conservarlo en un recipiente hermético en el frigorífico durante varios días.

postre de zanahorias

para 4-6 personas

1,5 kg de zanahorias

125 g de ghee puro

625 ml de leche

180 g de leche evaporada o khoya
(véase Nota, pág. 230)

10 cardamomos sin cáscara y con
las semillas majadas

120-150 g de azúcar

PARA DECORAR

30 g de pistachos picados

2 varaks (hoja de oro y plata) (opcional)

NOTA

Este postre sabe mejor con ghee puro, pero si prefiere reducir su ingesta de grasa, puede usar ghee vegetal. Para rallar las zanahorias más rápidamente, utilice con un robot de cocina.

1 Pele y ralle las zanahorias,
y resérvelas.

2 Caliente el ghee en una sartén
grande de fondo pesado.

3 Añada las zanahorias ralladas y
saltéelas entre 15 y 20 minutos
o hasta que se evapore la humedad y
las zanahorias se oscurezcan un poco.

4 Añada la leche, la leche evaporada, los cardamomos y el azúcar,
y saltee removiendo entre 30 y 35
minutos más, o hasta que la mezcla
adquiera un rico color rojo tostado.

5 Reparta el postre de zanahorias
en cazuelitas de barro individuales.

6 Sírvalas decoradas con pistachos
y varaks (si los usa).

crema de boniato

para 8-10 persoonas

1 kg de boniatos

930 ml de leche

200 g de azúcar

almendras picadas, para decorar

NOTA

Los boniatos son más grandes que las patatas. Por fuera, son de un tono entre rosado y amarillo, y por dentro, la carne suele ser blanca o amarilla. Tienen, además, un característico sabor dulce.

1 Con un cuchillo afilado, pele los boniatos, enjuáguelos debajo del grifo y córtelos en rojadas.

2 Ponga las rodajas de boniato en una cacerola. Cúbralas con 600 ml de leche y cuézalas hasta que estén lo suficientemente tiernas como para pasarlas por el pasapurés.

3 Retire la cacerola del fuego y tri-ture los boniatos en el pasapurés para deshacer todos los grumos.

4 Añada el azúcar y el resto de la leche, y remueva con cuidado para que se mezcle todo bien.

5 Vuelva a poner la cacerola en el fuego y hierva hasta que la mezcla se espese bastante (más o menos la consistencia de unas natillas).

6 Pase la crema de boniato a unos cuencos.

7 Decore con las almendras picadas y sirva.

arroz dulce con azafrán

para 4 personas

200 g de arroz basmati

250 g de azúcar

1 pizca de hebras de azafrán

300 ml de agua

2 cdas. de ghee

3 clavos de especia

3 cardamomos

40 g de pasas

PARA DECORAR

algunos pistachos (opcional)

varak (hoja de oro y plata) (opcional)

1 Enjuague el arroz 2 veces debajo del grifo y llévelo a ebullición en una cacerola llena de agua, sin dejar de remover. Retire la cacerola del fuego cuando el arroz esté medio hecho, escurra bien y reserve.

2 Hierva el azúcar, el azafrán y el agua en un cazo aparte, removiendo todo el tiempo, hasta que el almíbar espese bastante. Reserve.

3 Caliente el ghee, los clavos y los cardamomos en una sartén, removiendo de vez en cuando. Retire la sartén del fuego.

4 Vuelva a poner el arroz a fuego lento y añada las pasas. Remueva bien y vierta el almíbar por encima del arroz.

5 Vierta la mezcla de ghee por encima del arroz y cueza a fuego lento entre 10 y 15 minutos. Compruebe si el arroz está hecho. Si no lo está, añada un poco de agua, tape y hierva un poco más. Sirva caliente decorado con pistachos y varaks (si los usa).

VARIANTE

Para que el postre tenga un sabor más intenso a azafrán, ponga las hebras en papel de aluminio y tuéstelas unos segundos en el grill procurando que no se quemen. Májelas bien antes de añadirles el azúcar para hacer el almíbar.

---

pooris rellenos de pasta de chana dal

para 4-6 personas

180 g de sémola gruesa

100 g de harina, y un poco más
para espolvorear

2 cdtas. de ghee

150 ml de leche

RELLENO

8 cdas. de chana dal

930 ml de agua

5 cdas. de ghee, y un poco más
para freír

2 cardamomos verdes sin cáscara y
con las semillas majadas

4 clavos de especia

120 g de azúcar

2 cdas. de almendras molidas

½ cdta. de hebras de azafrán

40 g de pasas

1 Ponga la sémola, la harina y
½ cucharadita de sal en un bol,
y mezcle todo bien. Añada el ghee y
amase con los dedos. Añada la leche
y forme una masa. Trabájela durante
5 minutos y tápela. Déjela reposar
unas 3 horas. Luego, trabájela de
nuevo sobre una superficie enharinada
durante 15 minutos.

2 Extienda la masa en una forma cua-
drada de 25 cm y divídala en 10
porciones. Estire las porciones en círculos de 13 cm de diámetro y reserve.
Para el relleno, ponga las dal en remojo
3 horas, páselas a un cazo y añada el
agua. Lleve a ebullición a fuego medio
hasta que se evapore toda el agua y
las dal estén tiernas. Tritúrelas hasta
obtener una pasta homogénea.

3 Caliente el ghee en una sartén.
Añada las semillas de cardamomo
y los clavos de especia, y baje el fuego.
Luego, agregue la pasta de dal y saltee
entre 5 y 7 minutos.

4 Incorpore el azúcar y las almendras,
y siga salteando 10 minutos sin
dejar de remover. Agregue el azafrán
y las pasas, y mezcle durante 5 minutos
hasta que la pasta se espese. Con una
cuchara, disponga el relleno sobre una
mitad de cada círculo, humedezca los
bordes con agua y doble la otra mitad
hasta que queden bien sellados.

5 Caliente el ghee en una sartén.
Fría los pooris a fuego lento hasta
que estén dorados. Antes de servir,
escúrralos sobre papel de cocina.

sorbete de almendra

para 2 personas

300 g de almendras enteras
2 cdas. de azúcar
300 ml de leche
300 ml de agua

NOTA

Con un molinillo de café
o de especias, tardará mucho
menos en moler las almendras.
Si usa el mismo que para el
café, límpielo bien antes para
que no queden restos y las
almendras no sepan a café.
Si usa un mortero, tardará más
y, además, no es práctico
cuando hay que moler grandes
cantidades. En la India, los
sorbetes helados como éste se
toman en ocasiones especiales,
como ciertas fiestas religiosas.
Siempre se sirven en la mejor
vajilla y decorados con varaks
(hojas de oro y plata).

1 Ponga las almendras en remojo en un bol con agua durante 3 horas o, si es posible, toda la noche.

2 Pique las almendras y muélalas en un robot de cocina o con un mortero hasta obtener una pasta homogénea.

3 Añada el azúcar y muela otra vez la mezcla hasta que quede de nuevo homogénea.

4 Vierta la leche y el agua, y mezcle bien (en una batidora, si dispone de una).

5 Pase el sorbete de almendras a un cuenco grande.

6 Deje enfriar 30 minutos en el frigorífico y remueva un poco justo antes de servir.

bolitas de pistacho

para 4-6 personas

930 ml de agua

200 g de pistachos

450 g de leche entera en polvo

600 g de azúcar

2 cardamomos sin cáscara y con las
    semillas majadas

2 cdas. de agua de rosas

varias hebras de azafrán

PARA DECORAR

30 g de almendras laminadas

hojas de hierbabuena fresca

1 Lleve a ebullición dos tercios del agua en una cacerola. Retírela del fuego, introduzca los pistachos en el agua y déjelos en remojo durante 5 minutos. Escúrralos y retíreles la piel.

2 Muela los pistachos en un robot de cocina o con un mortero.

3 Añada la leche en polvo y mezcle bien.

NOTA

Es mejor comprar pistachos enteros y molerlos uno mismo que adquirirlos ya molidos. Los frutos secos recién molidos tienen un sabor mucho más intenso, pues al molerlos, liberan sus aceites naturales.

4 Para preparar el almíbar, ponga el resto del agua y el azúcar en un cazo, y caliente a fuego medio. Cuando el líquido empiece a espesarse, agregue las semillas de cardamomo, el agua de rosas y el azafrán.

5 Añada el almíbar a los pistachos y cueza 5 minutos. Remueva bien hasta que la mezcla se espese y déjela enfriar un poco.

6 Cuando esté lo suficientemente fría, forme pequeñas bolas. Decore las bolitas con las almendras laminadas y las hojas de hierbabuena, y déjelas reposar antes de servir.

bombitas fritas en almíbar

para 6-8 personas

5 cdas. de leche entera en polvo

1½ cdas. de harina

1 cdta. de levadura en polvo

1½ cdas. de mantequilla

1 huevo

1 cdta. de leche para mezclar

10 cdas. de ghee

ALMÍBAR

750 ml de agua

8 cdas. de azúcar

2 cardamomos verdes sin cáscara y
   con las semillas majadas

1 pizca generosa de hebras de azafrán

2 cdas. de agua de rosas

1 En un bol, mezcle la leche en polvo, la harina y la levadura.

2 Ponga la mantequilla en un cazo y caliéntela hasta que se funda.

3 Bata el huevo en otro bol y añádalo junto con la mantequilla al primer bol. Mezcle y, si es necesario, añada 1 cucharadita de leche. Remueva y forme una masa homogénea.

4 Divida la masa en 12 porciones y forme bolitas redondas y lisas con las manos.

5 Caliente el ghee en una sartén honda. Baje el fuego y empiece a freír las bombitas, en tandas de tres o cuatro. Muévalas a menudo y deles la vuelta con cuidado hasta que estén doradas por todos lados. Sáquelas de la sartén y déjelas reposar en una fuente.

6 Para hacer el almíbar, ponga el agua y el azúcar en un cazo y hierva de 7 a 10 minutos. Añada el cardamomo y el azafrán, y vierta el almíbar por encima de las bombitas.

7 Rocíe generosamente el agua de rosas por encima de las bombitas y déjelas reposar durante 10 minutos para que se empapen bien y absorban todo el almíbar posible. Se pueden servir calientes o frías.

crema de almendras molidas al ghee

para 2-4 personas

2 cdas. de ghee

2 cdas. de harina

120 g de almendras molidas

300 ml de leche

80 g de azúcar

hojas de hierbabuena, para decorar

NOTA

El ghee se vende en dos formatos en las tiendas de comida asiática. Hay que puntualizar que el ghee puro, hecho de mantequilla fundida, no es adecuado para vegetarianos estrictos, pero existe un ghee vegetal que se puede comprar en algunas herboristerías y tiendas especializadas.

1 Ponga el ghee en un cazo de fondo pesado y fúndalo a fuego lento. Remueva bastante para evitar que se queme.

2 Baje el fuego, añada la harina y remueva con energía para que no queden grumos.

3 Añada las almendras y siga removiendo vigorosamente.

4 Vierta poco a poco la leche y el azúcar, y lleve a ebullición. Cueza entre 3 y 5 minutos o hasta la mezcla esté homogénea y adquiera la consistencia de unas natillas.

5 Pase la crema a un cuenco, decore con hojas de hierbabuena y sirva caliente.

VARIANTE

En este receta, puede emplear leche de coco como alternativa. El resultado es exquisito.

helado de fruta y nueces

para 6 personas

5 latas de 250 g de leche evaporada

3 claras de huevo

360 g de azúcar glas

180 g de pistachos picados,
    y un poco más para decorar

90 g de almendras laminadas

40 g de cerezas confitadas cortadas
    en trozos grandes, y un poco
    más para decorar

90 g de pasas

1 cdta. de cardamomo molido

1 Empiece a preparar este postre el día antes. Ponga las latas de leche evaporada tumbadas en una cacerola grande de fondo pesado. Vierta agua suficiente para cubrirlas hasta ¾ de su altura y llévela a ebullición. Baje el fuego, tape bien y hierva 20 minutos. Retire del fuego y deje enfriar 24 horas. Ponga a enfriar un bol grande en el frigorífico.

2 Al día siguiente, bata a punto de nieve las claras de huevo en un cuenco. Saque el bol frío del frigorífico, vierta en él la leche evaporada y bata bien hasta que doble su tamaño. Agregue las claras y el azúcar, y luego, poco a poco, los pistachos, las almendras, las cerezas, las pasas y el cardamomo molido.

NOTA

No olvide retirar las etiquetas de las latas de leche evaporada antes de hervirlas en el agua.

3 Tape el bol con film transparente y déjelo en el congelador 1 hora. Sáquelo y bata la mezcla. Con una cuchara, pásela a un recipiente apto para congelar y deje en el congelador 3 horas o, si es posible, toda la noche.

4 Sirva el helado en copas decorado con pistachos picados y cerezas confitadas.

pudding de arroz

para 8-10 personas

75 g de arroz basmati

1,25 l de leche

120 g de azúcar

varak (hoja de oro y plata) o
pistachos picados, para decorar

pooris (pág. 184), para acompañar

NOTA

Los varaks son hojas comestibles de plata que se usan en la India para decorar los platos en ocasiones muy especiales, como las bodas, por ejemplo. Se trata de plata pura trabajada en forma de láminas muy finas. Se venden en las tiendas de comida asiática entre hojas de papel parafinado que se despegan para colocarlas sobre los alimentos cocinados.

Son muy delicadas, así que manéjelas con extremo cuidado. Recuerde que es plata pura, así que guárdela en una bolsa o en un recipiente hermético para que no se oscurezca.

1 Enjuague el arroz y póngalo en una cacerola. Añada 600 ml de leche y lleve a ebullición a fuego muy lento. Cueza hasta que el arroz embeba toda la leche y remueva de vez en cuando.

2 Retire la cacerola del fuego. Triture el arroz realizando rápidos movimientos circulares durante 5 minutos o hasta que no quede ningún grumo.

VARIANTE

Si lo prefiere, puede usar arroz de grano largo americano o patna en vez de arroz basmati.

3 Vuelva a poner la cacerola en el fuego y vierta poco a poco el resto de la leche. Lleve a ebullición a fuego lento y remueva de vez en cuando.

4 Agregue el azúcar y cueza entre 7 y 10 minutos sin dejar de remover hasta que la mezcla quede bastante espesa.

5 Pase el arroz con leche a una fuente y decore con varaks o pistachos picados. Sirva solo o acompañado de pooris.

postre de sémola

para 4 personas

6 cdas. de ghee

3 clavos de especia

3 cardamomos

8 cdas. de semolina gruesa

½ cdta. de hebras de azafrán

50 g de pasas

150 g de azúcar

300 ml de agua

300 ml de leche

nata líquida, para servir

PARA DECORAR

30 g de coco seco no endulzado
tostado

30 g de almendras picadas

30 g de pistachos remojados
y picados (opcional)

1 Ponga el ghee en un cazo y fúndalo a fuego medio.

2 Añada los clavos y los cardamomos, baje el fuego y remueva. Agregue la sémola y siga removiendo hasta que se oscurezca un poco.

3 Añada el azafrán, las pasas y el azúcar, y mezcle bien.

4 Vierta el agua y la leche, y remueva hasta que la sémola quede suelta y homogénea. Añada más agua si ve que se espesa demasiado.

5 Retire el cazo del fuego y pase la sémola a una fuente.

6 Decore con el coco tostado, las almendras picadas y los pistachos (si los usa), y sirva con un poco de nata líquida por encima.

NOTA

Los clavos de especia aportan fragancia y sabor tanto a los platos dulces como a los salados. Empléelos con precaución si no quiere que enmascaren demasiado el sabor del resto de los ingredientes del plato, y retírelos antes de servir.

helado de mango

para 6 personas

150 ml de nata líquida para montar

2 cdas. de azúcar extrafino

450 ml de zumo de mango

½ cdta. de canela molida

almendras laminadas, para decorar

NOTA

No bata la nata líquida con demasiada energía: sólo lo suficiente para que la mezcla adquiera una textura homogénea y se disuelva todo el azúcar.

1 Vierta la nata líquida en un bol grande, añada el azúcar y bata un poco hasta que se disuelva. Agregue el zumo de mango y la canela.

2 Ponga la mezcla en 6 moldes aptos para el congelador y tápelos con papel de aluminio. Déjelos en el congelador 3 horas, o toda la noche si es posible. Durante la primera hora, agite los moldes con suavidad 3 veces.

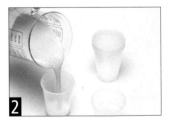

3 Para decorar, sumerja la base de los moldes en agua caliente, vuélquelos sobre unos cuencos y esparza por encima las almendras laminadas. Sirva inmediatamente.

pudding indio de fideos vermicelli

para 4-6 personas

30 g de pistachos (opcional)

30 g de almendras laminadas

3 cdas. de ghee

100 g de seviyan
   (fideos vermicelli indios)

930 ml de leche

180 g de leche evaporada

120 g de azúcar

6 dátiles sin hueso

1 Deje en remojo los pistachos (si los usa) en un bol con agua durante 3 horas. Pélelos y mézclelos con las almendras laminadas. Pique todo muy fino y reserve.

NOTA

Los seviyan (o fideos vermicelli indios) se compran en tiendas de comida asiática. Este postre puede servirse caliente o frío.

2 Funda el ghee en una cacerola y saltee ligeramente los seviyan. Baje el fuego inmediatamente (los seviyan se doran muy rápido, así que vigile que no se quemen) o, si es necesario, retire la sartén del fuego. No se preocupe si algunos fideos están más oscuros que otros.

3 Añada la leche y lleve a ebullición a fuego lento, con cuidado de que no se salga.

4 Agregue la leche evaporada, el azúcar y los dátiles, y hierva 10 minutos sin tapar y removiendo de vez en cuando. Cuando el pudding empiece a espesar, páselo a una fuente.

5 Sirva el pudding decorado con los pistachos y las almendras preparadas en el paso 1.

ensalada de frutas con crema

para 6 personas

1 cda. de almendras peladas

1 l de leche

450 g de leche evaporada

1 cda. de agua de rosas

1 cdta. de cardamomo molido

varias gotas de colorante alimentario
   amarillo (opcional)

fruta fresca, como rodajas de
   mango y papaya, y frutas del
   bosque

1 cda. de pistachos picados,
   para decorar (opcional)

1 Tueste las almendras en una sartén de fondo pesado a fuego lento y remueva durante 1 o 2 minutos hasta que estén doradas. Retire la sartén del fuego y reserve.

2 Lleve la leche a ebullición en un cazo, baje el fuego y hierva 30 minutos o hasta que se reduzca a la mitad. Cuélela en otro cazo, ponga éste a fuego muy lento y añada la leche evaporada, el agua de rosas y el cardamomo. Si quiere, puede añadir unas gotas de colorante para teñir la crema de un atractivo tono amarillo. Hierva a fuego lento 15 minutos y remueva de vez en cuando para que la crema no se pegue a la base del cazo. Espere a que se espese y quede homogénea.

3 Vierta la crema en un bol y añada las almendras reservadas. Tape con film transparente, deje enfriar un poco y guárdela en el frigorífico 1 hora como mínimo y 8 como máximo. Corte la fruta en rodajas justo antes de servir, reparta la crema en los platos, disponga la fruta por encima y esparza los pistachos picados (si los usa).

NOTA

Reducir la leche es una técnica de repostería muy extendida en la India. La leche evaporada también es la estrella de muchos de los postres.